Уильям
ШЕКСПИР
1564 — 1616

Уильям ШЕКСПИР

Гамлет, принц Датский

Санкт-Петербург
Издательская Группа
«Азбука-классика»
2009

УДК 82/89
ББК 84.4 Вл
Ш 41

Перевод с английского Бориса Пастернака

Дизайн и оформление
Ильи Кучмы и Вадима Пожидаева

Шекспир У.

Ш 41   Гамлет, принц Датский: Трагедия / Пер.
с англ. Б. Пастернака. — СПб.: Издательская
Группа «Азбука-классика», 2009. — 224 с.
ISBN 978-5-9985-0027-5

Ни одно произведение великого английского драма-
турга не пользовалось такой популярностью и не оказало
такого громадного влияния на европейскую литературу,
как трагедия Уильяма Шекспира «Гамлет, принц Датский».
Наряду с Дон-Кихотом и Фаустом ее герой давно вошел
в число мировых общечеловеческих типов, имеющих уни-
версальное и вечное значение.

Трагедия публикуется в переводе Бориса Пастернака.

ISBN 978-5-9985-0027-5

ДЕЙСТВУЮЩИЕ ЛИЦА

Клавдий, король датский.

Гамлет, сын прежнего и племянник нынешнего короля.

Полоний, гофмейстер двора.

Горацио, друг Гамлета.

Лаэрт, сын Полония.

Вольтиманд
Корнелий
Розенкранц } придворные.
Гильденстерн
Озрик

Дворянин.

Священник.

Марцелл
Бернардо } офицеры.

Франциско, солдат.

Рейнальдо, слуга Полония.

Актеры.

Два мужика, могильщики.

Фортинбрас, принц норвежский.

Капитан.

Английские послы.

Гертруда, королева датская, мать Гамлета.

Офелия, дочь Полония.

Лорды, леди, офицеры, солдаты, матросы, гонцы и слуги.

Призрак отца Гамлета.

Место действия — Эльсинор.

АКТ ПЕРВЫЙ

СЦЕНА ПЕРВАЯ

Эльсинор. Площадка перед замком. Полночь.
Франциско на своем посту. Часы бьют двенадцать.
К нему подходит Бернардо.

Бернардо

Кто здесь?

Франциско

Нет, сам ты кто, сначала отвечай.

Бернардо

Да здравствует король!

Франциско

       Бернардо?

Бернардо

              Он.

Франциско

Вы аккуратны и пришли в свой час.

Бернардо

Двенадцать бьет; поди поспи, Франциско.

Франциско

Спасибо, что сменили: я озяб,
И на сердце тоска.

Бернардо

Как в карауле?

Франциско

       Всё, как мышь, притихло.

Бернардо

Ну, доброй ночи.
А встретятся Гораций и Марцелл,
Подсменные мои, — поторопите.

Франциско

Послушать, не они ли. — Стой! Кто здесь?

Входят Горацио и Марцелл.

Горацио

Друзья страны.

Марцелл

       И слуги короля.

Франциско

Прощайте.

Марцелл

       До свиданья, старина.
Кто вас сменил?

Франциско

Бернардо на посту.
Прощайте.

(Уходит.)

Марцелл

Эй! Бернардо!

Бернардо

Да, скажи,
Гораций здесь?

Горацио

Да, в некотором роде.

Бернардо

Гораций, здравствуй; здравствуй, друг Марцелл.

Марцелл

Ну как, являлась нынче эта странность?

Бернардо

Пока не видел.

Марцелл

Горацио считает это все
Игрой воображенья и не верит
В наш призрак, дважды виденный подряд.
Вот я и предложил ему побыть
На страже с нами нынешнею ночью
И, если дух покажется опять,
Проверить дело и заговорить с ним.

Горацио

Да, так он вам и явится.

Бернардо

                           Присядем,
И разрешите штурмовать ваш слух,
Столь укрепленный против нас, рассказом
О виденном.

Горацио

                 Извольте, я сажусь.
Послушаем, что скажет нам Бернардо.

Бернардо

Минувшей ночью,
Когда звезда, что западней Полярной,
Перенесла лучи в ту часть небес,
Где и сейчас сияет, я с Марцеллом,
Лишь било час...

Входит Призрак.

Марцелл

Молчи. Замри. Гляди, вот он опять.

Бернардо

Осанкой — вылитый король покойный.

Марцелл

Ты сведущ: обратись к нему, Гораций.

Бернардо

Ну что, напоминает короля?

Горацио

Да как еще! Я в страхе и смятенье.

Бернардо

Он ждет вопроса.

Марцелл

Спрашивай, Гораций.

Горацио

Кто ты, без права в этот час ночной
Принявший вид, каким блистал бывало
Похороненный датский государь, —
Я небом заклинаю, отвечай мне!

Марцелл

Он оскорбился.

Бернардо

И уходит прочь.

Горацио

Стой! Отвечай! Ответь! Я заклинаю!

Призрак уходит.

Марцелл

Ушел, и говорить не пожелал.

Бернардо

Ну что, Гораций? Полно трепетать.
Одна ли тут игра воображенья?
Как ваше мненье?

Горацио

Богом поклянусь:
Я б не поверил, если б не увидел.

Марцелл

А с королем как схож!

Горацио

Как ты с собой.
И в тех же латах, как в бою с норвежцем,
И так же хмур, как в незабвенный день,
Когда, при ссоре с выборными Польши,
Он из саней их вывалил на лед.
Невероятно.

Марцелл

В такой же час таким же важным шагом
Проследовал он дважды мимо нас.

Горацио

Подробностей разгадки я не знаю,
Но в общем, вероятно, это знак
Грозящих государству потрясений.

Марцелл

Постойте. Сядем. Кто мне объяснит,
К чему такая строгость караулов,
Стесняющая граждан по ночам?
Чем вызвана отливка медных пушек,
И ввоз оружья из-за рубежа,
И корабельных плотников вербовка,
Усердных в будни и в воскресный день?

Зачем мы бьемся до седьмого пота
За днями дни и ночи напролет?
Кто объяснит мне это?

Горацио

Постараюсь.
По крайней мере, как слыхал. Король,
Чью тень мы с вами только что видали,
Однажды насмерть бился на мечах
С былым и павшим в этом поединке
Властителем норвежцев Фортинбрасом.
Пред боем обусловили статью,
Что победитель получает право
На землю побежденного. Страну
Убитого взял победитель Гамлет.
Такого положенья никогда
Не мог снести наследник Фортинбраса,
Носящий то же имя по отцу.
В избытке прирожденного задора
Он по Норвегии набрал отряд
За хлеб готовых в бой головорезов.
Формирований видимая цель,
Как это подтверждают донесенья,
Насильственно, с оружием в руках
Отбить отцом утраченные земли.
Вот тут-то, полагаю, и лежит
Важнейшая причина наших сборов,
Источник беспокойства и предлог
К растерянности и горячке в крае.

Бернардо

Все так, наверно, именно и есть.
Недаром проверяет караулы

Зловещий призрак, схожий с королем,
Который был и есть тех войн виновник.

Горацио

Он как сучок в глазу души моей.
Порой расцвета Рима, в дни побед,
Пред тем как властный Юлий пал, могилы
Стояли без жильцов, а мертвецы
На улицах невнятицу мололи.
В огне комет кровавилась роса,
Являлись пятна в солнце; влажный месяц,
На чьем влиянье зиждет власть Нептун,
Был болен тьмой, как в светопреставленье.
Предвестия таких же страшных бед,
Предшествующие самим событьям,
Как некий их трагический пролог,
Земля и небо вместе посылают
В широты наши нашим землякам.

Призрак возвращается.

Но тише! Вот он вновь! Остановлю
Любой ценой. Ни с места, наважденье!
О, если только речь тебе дана,
Откройся мне.
Быть может, надо милость сотворить
Тебе за упокой и нам во благо,
Откройся мне.
Быть может, ты проник в удел страны,
Который отвратить еще не поздно,
Откройся.
Быть может, ты при жизни закопал
Сокровище, неправдой нажитое, —

Вас, духов, манят клады, говорят, —
Откройся! Стой! Откройся мне!

Поет петух.

                              Марцелл,
Держи его!

Марцелл

Ударить алебардой?

Горацио

Бей, если увернется.

Бернардо

Вот он!

Горацио

Вот!

Призрак уходит.

Марцелл

Ушел!
Мы раздражаем царственность его
Открытым проявлением насилья.
При том, что он, как пар, неуязвим,
Удары наши — шутовство, и только.

Бернардо

Он отозвался б, но запел петух.

Горацио

И тут он вздрогнул, точно провинился,
И отвечать боится. Я слыхал,

Петух, трубач зари, своею глоткой
Пронзительною будит ото сна
Дневного бога. При его сигнале,
Где б ни блуждал скиталец-дух: в огне,
На воздухе, на суше или в море,
Он вмиг спешит домой. И только что
Мы этому имели подтвержденье.

Марцелл

Он стал тускнеть при пенье петуха.
Поверье есть, что каждый год, зимою,
Пред праздником Христова Рождества,
Ночь напролет поет дневная птица.
Тогда, по слухам, духи не шалят,
Спокойны ночи, не вредят планеты
И пропадают чары ведьм и фей,
Так благодатно и священно время.

Горацио

Слыхал и я, и тоже склонен верить.
Но вот и утро в розовом плаще
Росу пригорков топчет на востоке.
Пора снимать дозор. И мой совет:
Поставим принца Гамлета в известность
О виденном. Ручаюсь жизнью, дух,
Немой при нас, прервет пред ним молчанье.
Ну, как, друзья, по-вашему? Сказать,
Что голос дружбы нам повелевает?

Марцелл

По-моему, сказать. Да и к тому ж
Я знаю, где найти его сегодня.

Уходят.

СЦЕНА ВТОРАЯ

Там же. Приемный зал в замке.

Входят к о р о л ь, к о р о л е в а, Г а м л е т, П о л о н и й,
Л а э р т, В о л ь т и м а н д, К о р н е л и й,
придворные и свита.

К о р о л ь

Хотя по брате Гамлете бесценном
Свежа печаль и всем нам надлежит
Скорбеть душою, а державе нашей
От сокрушенья сморщиться в комок,
Но ум настолько справился с природой,
Что надо будет сдержаннее впредь
Жалеть о нем, себя не забывая.
С тем и решили мы в супруги взять
Сестру и ныне королеву нашу,
Наследницу военных рубежей, —
С отравленным, сказал бы я, восторгом,
Смеясь вполглаза и тужа другим,
Шутя над гробом и вопя на свадьбе,
И соразмерив радость и печаль.
При этом шаге мы не погнушались
Содействием советников, во всем
Нам давших одобренье. Всем спасибо.
Второе. Королевич Фортинбрас,
Не чтя нас ни во что и полагая,
Что после смерти братниной у нас
Развал в стране и всё в разъединенье,
Возмнил такое о своей звезде,
Что надоел нам, требуя возврата
Потерянных отцовых областей,
Которые достал себе по праву

17

Наш славный брат. Вот, вкратце, что о нем.
Теперь о нас и сущности собранья.
Тут нами извещается в письме
Король норвежцев, дядя Фортинбраса.
По дряхлости едва ли он слыхал
О замыслах племянника. Мы просим
Пресечь их в корне, так как войско сплошь
Из подданных его и их содержат
На счет казны. Письмо мы отдаем
Вам, добрый Вольтиманд, и вам, Корнелий.
Свезите старцу-королю поклон.
Мы вам не расширяем полномочий.
Держитесь в совещаньях с ним границ,
Дозволенных статьями. Поезжайте.
Готовность докажите быстротой.

Корнелий и Вольтиманд

Здесь, как и всюду, мы ее докажем.

Король

Не смеем сомневаться. Добрый путь.

Вольтиманд и Корнелий уходят.

Итак, Лаэрт, что нового услышим?
Шла речь о просьбе. В чем она, Лаэрт?
С чем дельным вы б ни обратились к трону,
Успех предсказан: вещи нет такой,
Что б не дали мы, не дождавшись просьбы.
Не больше ладит с сердцем голова,
Для пользы рта не больше служат руки,
Чем датский трон для вашего отца.
Что вам угодно?

Лаэрт

        Дайте разрешенье
Во Францию вернуться, государь.
Я сам оттуда прибыл для участья
В короткованье вашем, но, винюсь,
Меня опять по исполненье долга
Влекут туда и мысли и мечты.
С поклоном хлопочу о дозволенье.

Король

Отец пустил? Что говорит Полоний?

Полоний

Он вымотал мне душу, государь,
И, сдавшись после долгих убеждений,
Я нехотя его благословил.
Благоволите разрешить поездку.

Король

Ищите счастья; в добрый час, Лаэрт.
Как вздумаете, проводите время.
Ну, как наш Гамлет, близкий сердцу сын?

Гамлет
(в сторону)

Ничуть не сын и далеко не близкий.

Король

Опять покрыто тучами лицо?

Гамлет

О нет, напротив: солнечно некстати.

Королева

Ах, Гамлет, полно хмуриться, как ночь.
Взгляни на короля подружелюбней.
До коих пор, потупивши глаза,
Следы отца разыскивать во прахе?
Так создан мир: живущее умрет
И вслед за жизнью в вечность отойдет.

Гамлет

Так создан мир.

Королева

       Что ж кажется тогда
Столь редкостной тебе твоя беда?

Гамлет

Не кажется, сударыня, а есть.
Мне «кажется» неведомы. Ни этот
Суровый плащ, ни платья чернота,
Ни хриплая прерывистость дыханья,
Ни даже слез податливый поток,
И впалость черт, и все подразделенья
Тоски не в силах выразить меня.
Вот способы казаться, ибо это
Лишь действия, и их легко сыграть,
Моя же скорбь чуждается прикрас
И их не выставляет напоказ.

Король

Приятно видеть и похвально, Гамлет,
Как отдаешь ты горький долг отцу.
Но твой отец и сам отца утратил,

И так же тот. На некоторый срок
Сыновняя забота переживших —
Блюсти печаль. Но утверждаться в ней
С закоренелым рвеньем — нечестиво.
Мужчины недостойна эта скорбь
И обличает волю без святыни,
Слепое сердце, ненадежный ум
И грубые понятья без отделки.
Что неизбежно и в таком ходу,
Как самые повальные явленья,
Благоразумно ль этому, ворча,
Сопротивляться? Это грех пред небом,
Грех пред умершим, грех пред естеством,
Пред разумом, который примирился
С судьбой отцов и встретил первый труп
И проводил последний восклицаньем:
«Так быть должно». Пожалуйста, стряхни
Свою печаль и нас в душе зачисли
Себе в отцы. Пусть знает мир, что ты
Ближайший к трону и к тебе питают
Любовь не меньшей пылкости, какой
Нежнейший из отцов привязан к сыну.
Что до надежд вернуться в Виттенберг
И продолжать ученье, эти планы
Нам положительно не по душе,
И я прошу, раздумай и останься
Пред нами, здесь, под лаской наших глаз,
Как первый в роде, сын наш и сановник.

Королева

Не заставляй, чтоб мать просила даром.
Останься здесь, не езди в Виттенберг.

21

Гамлет

Сударыня, всецело повинуюсь.

Король

Вот кроткий, подобающий ответ.
Наш дом — твой дом. Сударыня, пойдемте.
Своей сговорчивостью Гамлет внес
Улыбку в сердце, в знак которой ныне
О счете наших здравиц за столом
Пусть облакам докладывает пушка,
И гул небес в ответ земным громам
Со звоном чаш смешается. Идемте.

Все, кроме Гамлета, уходят.

Гамлет

О если б этот грузный куль мясной
Мог испариться, сгинуть, стать росою!
О если бы Предвечный не занес
В грехи самоубийства! Боже! Боже!
Каким ничтожным, плоским и тупым
Мне кажется весь свет в своих затеях.
Глядеть тошнит! Он одичалый сад,
Где нет прохода. Низкий, грубый мусор
Глушит его. Зайти так далеко!
Два месяца, как умер. Двух не будет.
Такой король природный. Рядом с тем,
Как Феб с сатиром. До того ревниво
Любивший мать, что ветрам не давал
Дышать в лицо ей. О земля и небо!
Что поминать! Она к нему влеклась,
Как будто голод рос от утоленья.
И что ж, чрез месяц... Лучше не вникать!

О женщины, вам имя — вероломство!
Нет месяца! И целы башмаки,
В которых шла в слезах, как Ниобея,
За отчим гробом. И она, она, —
О Боже, зверь, лишенный разуменья,
Томился б дольше, — замужем — за кем:
За дядею, который схож с покойным,
Как я с Гераклом. В месяц с небольшим!
Еще от соли лицемерных слез
У ней на веках краснота не спала,
И замужем! С такою быстротой
Нырять под простыню кровосмешенья!
Нет, не видать от этого добра!
Разбейся сердце, ибо надо смолкнуть.

Входят Горацио, Марцелл и Бернардо.

Горацио

Почтенье, принц.

Гамлет

       Рад вас здоровым видеть.
Гораций, — если в памяти я сам?

Горацио

Он самый, принц, ваш верный раб до гроба.

Гамлет

Мой друг, еще поспорим мы, кто чей.
Что принесло вас к нам из Виттенберга? —
Марцелл, — не так ли?

Марцелл

       Он, милейший принц...

Гамлет

Я очень рад вас видеть.

(К Бернардо.)

Добрый вечер. —
Что ж вас из Виттенберга принесло?

Горацио

Милейший принц, расположенье к лени.

Гамлет

Ваш враг не отозвался б так о вас,
И вы мне слуха лучше не терзайте
Поклепами на самого себя.
Я знаю вас: ничуть вы не ленивец.
Но все же, чем вас встретил Эльсинор?
Пока гостите, мы вас пить научим.

Горацио

Я видел вынос вашего отца.

Гамлет

Нехорошо смеяться над друзьями.
Хотите, свадьбу матери, сказать?

Горацио

Да, правда, это следовало быстро.

Гамлет

Расчетливость, Гораций! С похорон
На брачный стол пошел пирог поминный.
Врага охотней встретил бы в раю,

Чем снова испытать событья эти.
Отец, — о вот он словно предо мной.

Горацио

Где, принц?

Гамлет

В очах души моей, Гораций.

Горацио

Я помню, он во всем был королем.

Гамлет

Он человек был, вот что несомненно.
Уж мне такого больше не видать.

Горацио

Представьте, принц, он был тут нынче ночью.

Гамлет

Был? Кто?

Горацио

Король, отец ваш.

Гамлет

Мой отец?

Горацио

Спокойнее: сдержите удивленье
И выслушайте. Я вам расскажу —
Меня поддержат эти очевидцы —
Бог знает что.

Гамлет

Молю вас, поскорей!

Горацио

Две ночи кряду этим господам,
Бернардо и Марцеллу, на дежурстве
Средь мертвой беспредельности ночной
Такое выпадало. Кто-то, зримый,
В вооруженье с ног до головы,
И сущий ваш отец, проходит мимо
Державным шагом. Трижды он скользит
Пред их остолбенелыми глазами
В длину жезла от них, они ж стоят,
От ужаса почти свернувшись в студень
И проглотив язык, о чем потом
Рассказывают мне под страшной тайной.
Я стал на стражу с ними в третью ночь,
Где, подтверждая это все дословно,
В такой же час проходит та же тень.
Мне памятен отец ваш. Оба схожи,
Как эти руки.

Гамлет

Где он проходил?

Марцелл

По той площадке, где стоит охрана.

Гамлет

Вы с ним не говорили?

Горацио

Говорил,
Но без успеха. Впрочем, на мгновенье

По повороту плеч и головы
Я заключил, что он не прочь ответить,
Но в это время закричал петух,
И он при этом звуке отшатнулся
И скрылся с глаз.

Гамлет

Я слов не нахожу.

Горацио

Ручаюсь жизнью, принц, что это правда,
И мы за долг сочли вас известить.

Гамлет

Да, да, все так. Сейчас я успокоюсь.
Кто ночью в карауле?

Марцелл и Бернардо

Мы, милорд.

Гамлет

В оружье, говорите?

Марцелл и Бернардо

Весь.

Гамлет

До пяток?

Марцелл и Бернардо

До пят.

Гамлет

И вы не видели лица?

Горацио

Нет, как же, — шлем был с поднятым забралом.

Гамлет

И что ж, он хмурил брови?

Горацио

                         Нет, смотрел
Скорей с тоской, чем с гневом.

Гамлет

                         Он был бледен,
Иль раскрасневшись?

Горацио

                Совершенно бел.

Гамлет

И не сводил с вас глаз?

Горацио

                Ни на минуту.

Гамлет

Жаль, — без меня.

Горацио

             Он свел бы вас с ума.

Гамлет

Все может быть. И что ж, он долго пробыл?

Горацио

Я мог легко бы до ста досчитать.

Марцелл и Бернардо

Нет, дольше, дольше.

Горацио

Нет, при мне не больше.

Гамлет

С седою бородою?

Горацио

Не совсем.
С едва посеребренной, как при жизни.

Гамлет

Я стану с вами на ночь. Может статься,
Он вновь придет.

Горацио

Придет наверняка.

Гамлет

И если примет вновь отцовский образ,
Я с ним заговорю, хотя бы ад,
Восстав, зажал мне рот. А к вам есть просьба.
Как вы скрывали случай до сих пор,
Так точно и вперед его таите,
И что бы ни случилось в эту ночь,
Во всем ищите смысла и молчите.
За дружбу отплачу. Храни вас Бог.
А около двенадцати я выйду
И навещу вас.

В с е

Ваши слуги, принц.

Г а м л е т

Не слуги, а друзья мои. Прощайте.

Все, кроме Гамлета, уходят.

Двойник отца в оружье! Быть беде!
Обман какой-то. Только бы стемнело!
А там, душа, терпенье: козней след,
Зарой их в землю, выступит на свет.

(Уходит.)

СЦЕНА ТРЕТЬЯ

Там же. Комната в доме Полония.

Входят Л а э р т и О ф е л и я.

Л а э р т

Мешки на корабле. Прощай, сестра.
Пообещай не упускать оказий
И при попутном ветре не дремли
И вести шли.

О ф е л и я

Не сомневайся в этом.

Л а э р т

А Гамлета ухаживанья — вздор.
Считай их блажью, шалостями крови,
Фиалкою, расцветшей в холода́,

Нежданной, гиблой, сладкой, обреченной,
Благоуханьем мига, и того
Не более.

Офелия

Не более?

Лаэрт

Не боле.
Рост жизни не в одном развитье мышц.
По мере роста тела, в нем, как в храме,
Растет служенье духа и ума.
Пусть любит он сейчас без задних мыслей,
Ничем еще не запятнавши чувств.
Подумай, кто он, и проникнись страхом.
По званью он себе не голова,
Но сам в плену у своего рожденья.
Не вправе он, как всякий человек,
Располагать собою. От избранья
Зависит благоденствие страны.
Поэтому не он свершает выбор,
А стан, которому он — голова.
Пусть он пока твердит тебе, что любит.
Твой долг не больше доверять словам,
Чем в силах он при этом положенье
Их оправдать, а он их подтвердит,
Как общий голос Дании захочет.
Итак, пойми, как пострадает честь,
Когда ты примешь песнь его за правду,
И сдашься сердцем, и откроешь клад
Невинности горячим настояньям.
Страшись, сестра; Офелия, страшись,
Остерегайся, как огня, влеченья,

31

На выстрел от взаимности беги.
Уже и то нескромно, если месяц
На девушку засмотрится в окно.
Оклеветать легко и добродетель.
Червь бьет всего прожорливей ростки,
Когда на них еще не вскрылись почки,
И ранним утром жизни, по росе,
Особенно прилипчивы болезни.
Пока наш нрав не искушен и юн,
Застенчивость наш лучший опекун.

Офелия

Я смысл ученья твоего поставлю
Хранителем души. Но, милый брат,
Не поступай со мной, как тот лжепастырь,
Который кажет нам тернистый путь
На небеса, а сам, вразрез советам,
Повесничает на стезях греха
И не краснеет.

Лаэрт

За меня не бойся.
Но что ж я медлю? Вот и наш отец.

Входит Полоний.

Вдвойне благословиться дважды благо.
Вот новый повод попрощаться нам.

Полоний

Всё тут, Лаэрт? В путь, в путь, стыдился б, право!
Уж ветер выгнул плечи парусов,
А сам ты где? Стань под благословенье
И заруби-ка вот что на носу.

Заветным мыслям не давай огласки,
Несообразным — ходу не давай.
Будь прост с людьми, но не запанибрата.
Проверенных и лучших из друзей
Приковывай стальными обручами,
Но до мозолей рук не натирай
Пожатьями со встречными. Старайся
Беречься драк, а сцепишься, берись
За дело так, чтоб береглись другие.
Всех слушай, но беседуй редко с кем.
Терпи их суд и прячь свои сужденья.
Рядись, во что позволит кошелек,
Но не франти, — богато, но без вычур.
По платью познается человек,
Во Франции ж на этот счет средь знати
Особо зоркий глаз. Не занимай
И не ссужай. Давая деньги в ссуду,
Лишаемся мы денег и друзей,
А займы притупляют бережливость.
Всего превыше: верен будь себе.
Тогда, как утро следует за ночью,
Не будешь вероломным ты ни с кем.
Прощай, запомни все и собирайся.

Лаэрт

Почтительно откланяться осмелюсь.

Полоний

Давно уж время. Слуги заждались.

Лаэрт

Прощай, Офелия, и твердо помни,
О чем шла речь.

33

Офелия

              Замкну в душе, а ключ
Возьми с собой.

Лаэрт

        Счастливо оставаться.

(Уходит.)

Полоний

О чем шла речь, Офелия, у вас?

Офелия

Предмет — принц Гамлет, если вам угодно.

Полоний

Ах, вот как? Это кстати. Я слыхал,
Он очень зачастил к тебе как будто.
А также избалован, говорят,
Твоим вниманьем? Если это правда, —
А так передавали мне как раз
Порядка ради, — должен я признаться,
Совсем не так ты сознаешь свой долг,
Как спросится с твоей дочерней чести.
Что между вами? Будь со мной пряма.

Офелия

Со мной не раз он в нежности пускался
В залог сердечной дружбы.

Полоний

              Каково!
В залог сердечной дружбы. Что ты смыслишь

В таких вещах? А как ты отнеслась
К его — как ты их назвала — залогам?

Офелия

Не знаю я, что думать мне о них.

Полоний

Я научу: за чистую монету
Ты этих глупостей не принимай
И требуй впредь залогов подороже.
А то, сведя все это в каламбур,
Под твой залог останешься ты в дурах.

Офелия

Отец, он предлагал свою любовь
С учтивостью.

Полоний

   С учтивостью! Подумай!

Офелия

И в подтвержденье слов своих всегда
Мне клялся чуть ли не святыми всеми.

Полоний

Силки для птиц! Иль я забыл, когда
Пылает кровь, как щедр язык на клятвы!
Нет, эти вспышки не дают тепла,
Слепят на миг и гаснут в обещанье.
Не принимай их, дочка, за огонь.
Будь поскупей на будущее время.
Пускай твоей беседой дорожат.

Не торопись навстречу, только кликнут.
А Гамлету верь только в том одном,
Что молод он, и меньше в поведенье
Стеснен, чем ты; точней — совсем не верь.
А клятвам и подавно. Клятвы — сводни.
Не то они, чем кажутся извне.
Они, как маклаки по ложным искам,
Нарочно дышат кротостью святош,
Чтоб обойти тем легче. Повторяю,
Я не хочу, чтоб впредь на твой досуг
Бросали тень хотя бы на минуту
Беседы с принцем Гамлетом. Ступай.
Смотри не забывай.

Офелия

Я повинуюсь.

Уходят.

СЦЕНА ЧЕТВЕРТАЯ

Там же. Площадка перед замком.
Входят Гамлет, Горацио и Марцелл.

Гамлет

А на ветру как щиплет! Ну и холод!

Горацио

Пронизывает. Прямо как зимой.

Гамлет

Который час?

Горацио

Без малого двенадцать.

Марцелл

Нет. С лишним. Било.

Горацио

Било? Не слыхал.
Тогда, пожалуй, наступает время,
В которое всегда являлась тень.

Трубы, пушечные выстрелы за сценой.

Что это значит, принц?

Гамлет

Король не спит и пляшет до упаду,
И пьет и бражничает до утра,
И чуть осилит новый кубок с рейнским,
Оповещает гром литавр и труб
Про этот подвиг.

Горацио

Это что ж — обычай?

Гамлет

Да, как сказать, — увы.
Хотя я здешний и давно привык,
Обычай непохвальный и достойный
Уничтоженья. Эти кутежи,
Расславленные на восток и запад,
Покрыли нас стыдом в чужих краях.
Там наша кличка — пьяницы и свиньи.

И это отнимает, не шутя,
Какую-то существенную мелочь
У наших дел, достоинств и заслуг.
Бывает и с отдельным человеком,
Что, например, родимое пятно,
В котором он невинен, ибо, верно,
Родителей себе не выбирал,
Иль странный склад души, перед которым
Сдается разум, или недочет
В манерах, оскорбляющий привычки, —
Бывает, словом, что пустой изъян,
В роду ли, свой ли, губит человека
Во мненье всех, будь доблести его,
Как милость Божья, чисты и несметны.
А всё от этой глупой капли зла,
И сразу все добро идет насмарку.
Досадно ведь.

Горацио

Смотрите, принц, вот он.

Входит Призрак.

Гамлет

Святители небесные, спасите!
Благой ли дух ты или ангел зла,
Дыханье рая, ада ль дуновенье,
К вреду иль к пользе помыслы твои,
Я озадачен так твоим явленьем,
Что должен расспросить тебя, и вот
Как назову тебя: отец мой, Гамлет,
Король, властитель датский, отвечай!
Не дай пропасть в неведенье. Скажи мне,

38

Зачем на преданных земле костях
Разорван саван? Отчего гробница,
Где мы в покое видели твой прах,
Разжала с силой челюсти из камня,
Чтоб выплюнуть тебя? Чем объяснить,
Что бездыханный труп, в вооруженье,
Ты движешься, обезобразив ночь,
В лучах луны, и нам, глупцам созданья,
Так страшно потрясаешь существо
Загадками не нашего охвата?
Скажи, зачем? К чему? Что делать нам?

Призрак манит Гамлета.

Горацио

Он подал знак, чтоб вы с ним удалились,
Как будто хочет что-то сообщить
Вам одному.

Марцелл

      Смотрите, как любезно
Он вас зовет подальше в глубину.
Но не ходите.

Горацио

      Ни за что на свете.

Гамлет

А здесь он не ответит. Я пойду.

Горацио

Не надо, принц.

Гамлет

Ну вот! Чего бояться?
Я жизнь свою в булавку не ценю.
А чем он для души моей опасен,
Когда она бессмертна, как и он?
Он снова мне кивает. Я приближусь.

Горацио

А если он заманит вас к воде
Или на выступ страшного утеса,
Нависшего над морем, и на нем
Во что-нибудь такое обернется,
Что вас лишит рассудка и столкнет
В безумие? Подумайте об этом.
На той скале и без иных причин
Шалеет всякий, кто увидит море
Под крутизной во столько саженей,
Ревущее внизу.

Гамлет

Опять кивает.
Ступай! Иду!

Марцелл

Не пустим.

Гамлет

Руки прочь!

Горацио

Опомнитесь. Не надо.

Гамлет

Это — голос
Моей судьбы, и он все жилы мне
Внезапно силой львиной наливает.

Призрак манит.

Все манит он. Дорогу, господа!

(Вырывается от них.)

Я в духов превращу вас, только троньте!
Прочь, сказано! Иди. Я за тобой.

Призрак и Гамлет уходят.

Горацио

Теперь он весь во власти исступленья.

Марцелл

Пойдем за ним, не слушаясь его.

Горацио

Последуем. Что это может значить?

Марцелл

Какая-то в державе датской гниль.

Горацио

Наставь на путь нас, Господи!

Марцелл

Идемте.

Уходят.

СЦЕНА ПЯТАЯ

Там же. Более отдаленная часть площадки.

Входят Призрак и Гамлет.

Гамлет

Куда ведешь? Я дальше не пойду.

Призрак

Следи за мной.

Гамлет

Слежу.

Призрак

Настал тот час,
Когда я должен пламени геенны
Предать себя на муку.

Гамлет

Бедный дух!

Призрак

Не сожалей, но вверься всей душою
И выслушай.

Гамлет

Внимать тебе мой долг.

Призрак

И отомстить, когда ты все услышишь.

Гамлет

Что?

Призрак

Я дух родного твоего отца,
На некий срок скитаться осужденный
Ночной порой, а днем гореть в огне,
Пока мои земные окаянства
Не выгорят дотла. Мне не дано
Касаться тайн моей тюрьмы. Иначе б
От слов легчайших повести моей
Зашлась душа твоя и кровь застыла.
Глаза, как звезды, вышли из орбит
И кудри отделились друг от друга,
Поднявши дыбом каждый волосок,
Как иглы на взбешенном дикобразе.
Но вечность — звук не для земных ушей.
О слушай, слушай, слушай! Если только
Ты впрямь любил когда-нибудь отца...

Гамлет

О Боже мой!

Призрак

Отмсти за подлое его убийство.

Гамлет

Убийство?

Призрак

          Да, убийство из убийств,
Как ни бесчеловечны все убийства.

Гамлет

Рассказывай, чтоб я на крыльях мог
Со скоростью мечты и страстной мысли
Пуститься к мести.

Призрак

           Вижу, ты готов.
И кто б ты был? — Болотной сонной ряской
В стоячих водах Леты, если б тут
Не всколыхнулся. Значит, слушай, Гамлет.
Объявлено, что спящего в саду
Меня змея ужалила. Датчане
Бесстыдной басней введены в обман.
Ты должен знать, мой мальчик благородный,
Змея — убийца твоего отца —
В его короне.

Гамлет

           О мои прозренья!
Мой дядя?

Призрак

Да.
Кровосмеситель и прелюбодей,
Врожденным даром хитрости и лести
(Будь прокляты дары, когда от них
Такой соблазн!) увлекший королеву
К постыдному сожительству с собой.
Какое здесь паденье было, Гамлет!
От возвышающей моей любви,
Все годы шедшей об руку с обетом,
Ей данным при венчанье, — к существу,
Чьи качества природные ничтожны

Перед моими!
Но так же, как не дрогнет добродетель,
Каких бы чар ни напускал разврат,
Так похоть даже в ангельских объятьях
Пресытится блаженством и начнет
Жрать падаль.
Но тише! Ветром утренним пахнуло.
Потороплюсь. Когда я спал в саду
В свое послеобеденное время,
В мой уголок прокрался дядя твой
С проклятым соком белены во фляге
И влил в притвор моих ушей настой,
Чье действие в таком раздоре с кровью,
Что мигом обегает, словно ртуть,
Все внутренние переходы тела,
Створаживая кровь, как молоко,
С которым каплю уксуса смешали.
Так было и со мной. Сплошной лишай
Покрыл мгновенно пакостной и гнойной
Коростою, как Лазарю, кругом
Всю кожу мне.
Так был рукою брата я во сне
Лишен короны, жизни, королевы;
Так был подрезан в цвете грешных дней,
Не причащен и миром не помазан;
Так послан второпях на Страшный суд
Со всеми преступленьями на шее.
О ужас, ужас, ужас! Если ты
Не обделен природой, не потворствуй.
Не дай постели датских королей
Служить кровосмешенью и распутству.
Однако, как бы ни сложилась месть,
Не оскверняй души, и умышленьем

Не посягай на мать. Судья ей Бог
И совести глубокие уколы.
Теперь прощай. Пора. Смотри, светляк,
Встречая утро, убавляет пламя.
Прощай, прощай и помни обо мне.

(Уходит.)

Гамлет

О небо! О земля! Кого в придачу?
Быть может, ад? Стой, сердце! Сердце, стой!
Не подгибайтесь подо мною, ноги!
Держитесь прямо! Помнить о тебе?
Да, бедный дух, пока есть память в шаре
Разбитом этом. Помнить о тебе?
Я с памятной доски сотру все знаки
Чувствительности, все слова из книг,
Все образы, всех былей отпечатки,
Что с детства наблюденье занесло,
И лишь твоим единственным веленьем
Весь том, всю книгу мозга испишу
Без низкой смеси. Да, как перед Богом!
О женщина-злодейка! О подлец!
О низость, низость с низкою улыбкой!
Где грифель мой, я это запишу,
Что можно улыбаться, улыбаться
И быть мерзавцем. Если не везде,
То, достоверно, в Дании.

(Пишет.)

Готово, дядя. Мой завет отныне:
«Прощай, прощай и помни обо мне».
Я в том клянусь.

Горацио и Марцелл
(за сценой)

Принц! Принц!

Марцелл
(за сценой)

Принц Гамлет!

Горацио
(за сценой)

Где он?

Гамлет

Да будет так!

Горацио
(за сценой)

Ого-го-го, милорд!

Гамлет

Ого-го-го, сюда, моя охота!

Входят Горацио и Марцелл.

Марцелл

Ну как, милорд?

Горацио

Что нового, милорд?

Гамлет

О, чудеса!

Горацио

А именно?

Гамлет

Сболтнете.

Горацио

Нет, никогда, милорд.

Марцелл

И я, милорд.

Гамлет

Ну, хорошо. Итак, кто б мог подумать...
Но это между нами?

Горацио и Марцелл

Видит Бог.

Гамлет

Нет в Дании такого негодяя,
Который дрянью не был бы притом.

Горацио

Нет надобности в духах из могилы
Для истин вроде этой.

Гамлет

Спору нет.
Итак, без околичностей, давайте
Пожмем друг другу руки и пойдем.
Вы — по своим делам или желаньям, —

У всех свои желанья и дела, —
Я — по своим; точней — бедняк отпетый,
Пойду молиться.

Горацио

Это только вихрь
Бессвязных слов, милорд.

Гамлет

Я сожалею,
Что вы в обиде.

Горацио

Здесь обиды нет.

Гамлет

Нет, есть, Гораций, есть, клянусь Патриком, —
Немалая! О призраке ж скажу,
Что это дух, достойный уваженья.
А страсть узнать всю правду как-нибудь
Уж пересильте. А теперь, собратья,
Товарищи по школе и мечу, —
Большая просьба.

Горацио

С радостью исполним.

Гамлет

О происшедшем чур не говорить.

Горацио и Марцелл

Не скажем, принц.

Гамлет

Клянитесь в этом.

Горацио

Честью
Клянусь, не скажем.

Марцелл

Честию клянусь.

Гамлет

Вот меч, — клянитесь.

Марцелл

Мы уж дали клятву.

Гамлет

Нет, поклянитесь на моем мече.

Призрак
(из-под сцены)

Клянитесь!

Гамлет

Ага, старик, и ты того же мненья?
Вы слышите, что вам он говорит?
Извольте ж клясться.

Горацио

Назовите клятву.

Гамлет

Клянитесь никогда не говорить
О виденном. Ладонь на меч.

Призрак
(из-под сцены)

Клянитесь!

Гамлет

Hic et ubique? Перейдем сюда,
И вновь на рукоятку ваши руки.
Клянитесь никогда не говорить
О слышанном. Ладонь на меч!

Призрак
(из-под сцены)

Клянитесь!

Гамлет

Ты, старый крот! Как скор ты под землей!
Уж подкопался? Переменим место.

Горацио

О день и ночь! Вот это чудеса!

Гамлет

Как чужестранцев вы их и примите.
Гораций, в мире много кой-чего,
Что вашей философии не снилось.
Но к делу. Вновь клянитесь, если вам
Спасенье мило, как бы непонятно
Я дальше ни повел себя, кого
Собой ни счел необходимым корчить,
Вы никогда при виде этих штук
Вот эдак рук не скрестите, вот эдак
Не покачнете головой, вот так

51

Не станете цедить с мудреным видом:
«Кто-кто, а мы...», «Могли б, да не хотим»,
«Приди охота...», «Мы бы рассказали».
Того не делать и не намекать,
Что обо мне разведали вы что-то,
Вот в чем клянитесь, и да будет Бог
На помощь вам.

Призрак
(из-под сцены)

Клянитесь!

Гамлет

Успокойся,
Мятежный дух! А дальше, господа,
Себя с любовью вам препоручаю.
Все, чем возможно дружбу доказать,
Бедняк, как Гамлет, обещает сделать
Поздней, Бог даст. Пойдемте вместе все.
И пальцы на губах — напоминаю.
Разлажен жизни ход, и в этот ад
Закинут я, чтоб все пошло на лад!
Пойдемте вместе.

Уходят.

АКТ ВТОРОЙ

СЦЕНА ПЕРВАЯ

Эльсинор. Комната в доме Полония.
Входят Полоний и Рейнальдо.

ПОЛОНИЙ

Вот деньги и письмо к нему, Рейнальдо.

РЕЙНАЛЬДО

Вручу, милорд.

ПОЛОНИЙ

       Да было б хорошо
До вашего свидания, голубчик,
Разнюхать там, как он себя ведет.

РЕЙНАЛЬДО

Я это сам хотел, милорд.

ПОЛОНИЙ

       Похвально.
Весьма похвально. Видите, дружок,
Сперва спросите про датчан в Париже,
Со средствами ль, кто родом, где стоят
И в дружбе с кем, и если б вдруг открылось,

Что сына знают, от обиняков
Переходите прямо в наступленье,
Не подавая вида. Например,
Скажите тоном дальнего знакомства:
«Я знал его друзей, встречал отца,
Знаком отчасти и с самим». Понятно?

Рейнальдо

Вполне, милорд.

Полоний

       «Отчасти и с самим.
Хотя, — спешите вставить, — очень мало.
Но если это тот же шалопай,
То так и так», и врите, как на мертвых,
Про что угодно, кроме сумасбродств,
Вредящих чести. Это Бог избави.
Про все же разновидности проказ,
Сопутствующих росту и свободе,
Пожалуйста.

Рейнальдо

    К примеру, про игру?

Полоний

Пожалуйста. Про пьянство, драки, ругань,
Хожденье к девкам, даже и про то.

Рейнальдо

Милорд, не повредило б это чести.

Полоний

Зачем, все дело соус, как подать.
Не обвиняйте в чем-нибудь чрезмерном,

Что было б грубой крайностью. Зачем?
Наоборот, вы так представьте дело,
Чтоб промахи его приобрели
Налет огня, оттенок своеволья
И внешность молодого озорства,
Простительные всем.

Рейнальдо

Но я осмелюсь...

Полоний

Спросить, к чему все это?

Рейнальдо

Да, милорд.
К чему все это?

Полоний

Вот мои расчеты.
Такие речи бьют наверняка.
Когда вы вскользь запачкаете сына,
Как за работой мажут рукава,
Ваш собеседник тотчас согласится,
И если тоже замечал за ним
Подобные проделки, непременно
Прервет вас, скажем, на такой манер:
«Сэр», скажет он, иль «друг мой», или «сударь»,
Смотря по званью, и откуда сам,
И как воспитан.

Рейнальдо

Совершенно верно.

Полоний

И вот тогда, тогда-то вот, тогда...

Что это я хотел сказать? Клянусь причастием,
я что-то хотел сказать. На чем я остановился?

Рейнальдо

На «он прервет вас, скажем...»

Полоний

Да, прервет.

Ага, прервет, прервет. «Да! — скажет он, —
Я знаю молодого человека.
Он был вчера или позавчера
С таким-то и таким-то там и там-то.
Играли в мяч, он был порядком пьян
И кончил дракой». Или: «Я свидетель,
Как ходит он в один торговый дом,
Точней сказать, публичный», и так дале.
Ну, поняли? Насаживайте ложь
И на живца ловите карпа правды.
Так все мы, люди дальнего ума,
Издалека, обходом, стороною
С кривых путей выходим на прямой.
Рекомендую с сыном тот же способ.
Ну, поняли? Понятно?

Рейнальдо

Да, милорд.

Полоний

Желаю здравствовать.

Рейнальдо

Милорд мой добрый!

Полоний

Пускай не замечает, что следят.

Рейнальдо

О нет, милорд.

Полоний

А впрочем, вольным воля,
Спасенным рай.

Рейнальдо

Понятно.

Полоний

Добрый путь.

Рейнальдо уходит. Входит Офелия.

Офелия! Что скажешь?

Офелия

Боже правый!
В каком я перепуге!

Полоний

Отчего?
Господь с тобой!

Офелия

Я шила, входит Гамлет,
Без шляпы, безрукавка пополам,
Чулки до пяток, в пятнах, без подвязок,
Трясется так, что слышно, как стучит
Коленка о коленку, так растерян,

Как будто выпущен из-под земли
Порассказать об ужасах геенны.

Полоний

От страсти обезумел?

Офелия

                    Не скажу,
Но опасаюсь.

Полоний

                    Что же говорит он?

Офелия

Он сжал мне кисть и отступил на шаг,
Руки не разнимая, а другую
Поднес к глазам и стал из-под нее
Рассматривать меня, как рисовальщик.
Он долго изучал меня в упор,
Тряхнул рукою, трижды поклонился
И испустил такой глубокий вздох,
Как будто перенес в него остаток
Последнего дыханья, вслед за чем
Разжал ладонь, освободил мне руку
И удалился, глядя чрез плечо.
Он шел и находил без глаз дорогу
И тем же чудом, пятясь, вышел в дверь,
Глаза все время на меня уставя.

Полоний

Пойдем со мной, отыщем короля.
Здесь явный взрыв любовного безумья,
В неистовствах которого подчас
Доходят до отчаянных решений.

Но таковы все страсти под луной,
Играющие нами. Очень жалко.
Ты не была с ним эти дни резка?

О ф е л и я

Нет, кажется, но, помня наставленье,
Не принимала больше ни его,
Ни писем от него.

П о л о н и й

       Вот он и спятил!
Жаль, что судил о нем я сгоряча
И так легко. Я думал, это модник
И твой губитель, и перемудрил.
Но видит Бог, излишняя забота
Такое же проклятье стариков,
Как беззаботность — горе молодежи.
Идем и все расскажем королю.
Спасая близких, действуй без опаски:
Таить любовь опаснее огласки.
Идем.

СЦЕНА ВТОРАЯ

Там же. Комната в замке.

Входят король, королева, Розенкранц,
Гильденстерн и свита.

К о р о л ь

Привет вам, Розенкранц и Гильденстерн!
Помимо жажды видеть вас пред нами,
Заставила вас вызвать и нужда.
До вас дошла уже, наверно, новость

О превращенье Гамлета. Нельзя
Сказать иначе, так неузнаваем
Он внутренне и внешне. Не пойму,
Какая сила сверх отцовой смерти
Произвела такой переворот
В его душе. Я вас прошу обоих
Как сверстников его, со школьных лет
Узнавших коротко его характер,
Пожертвовать досугом и провесть
Его у нас. Втяните принца силой
В рассеянье, и в обществе с собой,
Где только будет случай, допытайтесь,
Какая тайна мучает его
И нет ли от нее у нас лекарства.

Королева

Он часто вспоминал вас, господа.
Я больше никого не знаю в мире,
Кому б он был так предан. Если вам
Не жалко будет выказать любезность
И ваше время можно посвятить
Надежде нашей и ее поддержке,
Приезд ваш будет нами награжден
По-королевски.

Розенкранц

В королевской воле
Приказы отдавать, а не просить.

Гильденстерн

В согласье с чем мы оба повергаем
Свою готовность к царственным стопам
И ждем распоряжений.

Король

Спасибо, Розенкранц и Гильденстерн.

Королева

Спасибо, Гильденстерн и Розенкранц.
Пожалуйста, пройдите тотчас к сыну.
Он так переменился! Господа,
Пусть кто-нибудь их к Гамлету проводит.

Гильденстерн

Дай Бог, чтоб наше общество пошло
Ему на утешенье.

Королева

Бог на помощь.

*Розенкранц, Гильденстерн и некоторые из
свиты уходят. Входит Полоний.*

Полоний

Послы благополучно, государь,
Вернулись из Норвегии.

Король

Ты был всегда отцом благих вестей.

Полоний

Был, государь, не так ли? И останусь.
Я долг привык блюсти пред королем,
Как соблюдаю душу перед Богом.
И знаете, что я вам доложу?
Что либо этот мозг уж не годится
В охотничьи ищейки, либо я
Напал на корень Гамлетовых бредней.

Король

О, не тяни. Не терпится узнать.

Полоний

Сперва аудиенцию посольству,
А мой секрет на сладкое к нему.

Король

Так сделай милость, выйди к ним навстречу.

Полоний уходит.

Он говорит, Гертруда, что нашел,
На чем ваш сын несчастный помешался.

Королева

Причина, к сожалению, одна:
Смерть короля и спешность нашей свадьбы.

Король

Увидим сами.

*Возвращается Полоний с Вольтимандом
и Корнелием.*

                  Здравствуйте, друзья!
Что, Вольтиманд, наш брат король
                         норвежский?

Вольтиманд

Благодарит и сам желает благ.
Набор охотников приостановлен.
Он до сих пор казался королю
Военной подготовкой против Польши,
Но прикрывал, как понял он, удар

По вашему величеству. Увидев,
Как сам он в дряхлом возрасте своем
Обманут был племянником, он вызвал
Его приказом. Фортинбрас пришел,
От дяди получил головомойку
И дал, раскаясь, клятву никогда
На вас, милорд, не подымать оружья.
На радостях растроганный старик
Дает ему три тысячи годичных
И право двинуть набранных солдат
В поход на Польшу. В приложенье — просьба,

(подает бумагу)

Чтоб вы благоволили дать войскам
Свободный пропуск чрез свои владенья
Под верное ручательство, статьи
Которого изложены особо.

Король

Весьма довольны положеньем дел.
Вчитаемся подробней на досуге
И, обсудив, придумаем ответ.
Благодарим за рвенье. Отдохните.
А вечером пожалуйте на пир.
До скорой встречи.

Вольтиманд и Корнелий уходят.

Полоний

   Это дело в шляпе.
Вдаваться, государи, в спор о том,
Что значит царь и слуги и что время
Есть время, день есть день и ночь есть ночь, —

Есть трата времени и дня и ночи.
Итак, раз краткость есть душа ума,
А многословье — тело и прикрасы,
То буду сжат. Ваш сын сошел с ума.
С ума, сказал я, ибо сумасшедший
И есть лицо, сошедшее с ума.
Но пóбоку.

К о р о л е в а

Дельней, да безыскусней.

П о л о н и й

Здесь нет искусства, госпожа моя.
Что он помешан — факт. И факт, что жалко,
И жаль, что факт. Дурацкий оборот.
Но все равно. Я буду безыскусен.
Допустим, он помешан. Надлежит
Найти причину этого эффекта,
Или дефекта, ибо сам эффект
Благодаря причине дефективен.
А то, что надо, в том и есть нужда.
Что ж вытекает?
Я дочь имею, ибо дочь — моя.
Вот что дала мне дочь из послушанья.
Судите и внимайте, я прочту.

(Читает.)

«Небесной, идолу души моей, ненаглядной
Офелии». Это плохое выраженье, избитое выраженье: «ненаглядной» — избитое выраженье. Но
слушайте дальше. Вот:

(Читает.)

«На ее дивную белую грудь эти...» и тому подобное.

Королева

Ей это Гамлет пишет?

Полоний

Миг терпенья.
Я по порядку, госпожа моя.

(Читает.)

«Не верь дневному свету,
Не верь звезде ночей,
Не верь, что правда где-то,
Но верь любви моей.

О дорогая Офелия, не в ладах я со стихосложеньем. Вздыхать по мерке не моя слабость. Но что я крепко люблю тебя, о моя хорошая, верь мне. Прощай. Твой навеки, драгоценнейшая, пока эта махина принадлежит ему. Гамлет».

Вот что мне дочь дала из послушанья,
А также показала на словах,
Когда по времени и где по месту
Любезничал он с ней.

Король

Как приняла
Она его любовь?

Полоний

Какого мненья
Вы обо мне?

Король

Вы чести образец
И преданности.

Полоний

Рад бы оказаться.
Какого ж мненья были б вы, когда,
Застигнув эту страсть в ее зачатке,
А я ее, признаться, разглядел
Скорей, чем дочь, — какого мненья были б
Вы, государыня, вы, государь,
Когда б я терпеливее бумаги
Сквозь пальцы стал смотреть на эту страсть
И сделал сердцу знак молчать. Какого
Вы были б мненья? Нет, я напрямик
Немедленно сказал своей девице:
«Лорд Гамлет — принц, он не твоей звезды.
Тому не быть» — и сделал ей внушенье
Замкнуться от его похвал на ключ,
Гнать посланных и возвращать подарки.
Она меня послушалась, и что ж:
Отвергнутый, чтоб выразиться вкратце,
Он впал в тоску, утратил аппетит,
Утратил сон, затем утратил силы,
А там из легкого расстройства впал
В тяжелое, в котором и бушует
На горе всем.

Король

Вы тех же мыслей?

Королева

Да.
Правдоподобно.

Полоний

Назовите случай,
Когда бы утверждал я: «это так»,
А было б по-иному.

Король

Не припомню.

Полоний
(показывая на свою голову и плечи)

Я это дам от этого отсечь,
Что прав и ныне. С нитью путеводной
Я под землей до правды доберусь.

Король

Как это нам проверить?

Полоний

Очень просто.
Он бродит тут часами напролет
По галерее.

Королева

Совершенно верно.

Полоний

Я дочь ему подкину в этот час,
А мы вдвоем за занавеску станем.
Увидите их встречу. Если он
Не любит дочь и не любовью болен,
Я больше не сановник, а держу
Заезжий двор.

Король

Ну что ж, понаблюдаем.

Королева

А вот бедняжка с книжкою и сам.

Полоний

Уйдите оба, оба уходите.
Я подойду к нему. Прошу простить.

*Король, королева и свита уходят. Входит
Гамлет, читая.*

Как поживает господин мой Гамлет?

Гамлет

Хорошо, слава Богу.

Полоний

Вы меня знаете, милорд?

Гамлет

Отлично. Вы рыбный торговец.

Полоний

Нет, что вы, милорд.

Гамлет

Тогда не мешало б вам быть таким же честным.

Полоний

Честным, милорд?

Гамлет

Да, сэр. Быть честным, по ходу вещей, значит быть единственным из десяти тысяч.

Полоний

Это совершенная истина, милорд.

Гамлет

Уж если и солнце приживает червей с собачиной, была бы падаль для лобзаний... Есть у вас дочь?

Полоний

Есть, милорд.

Гамлет

Не пускайте ее на солнце. Зачать — благодатно, но не для вашей дочери. Не зевайте, приятель.

Полоний
(в сторону)

Ну что вы скажете? Нет-нет да и свернет на дочку. А вперед не узнал. Рыбный, говорит, торговец. Далеко зашел, далеко. В сущности говоря, в молодости и я ох как натерпелся от любви. Почти что в этом роде. Попробую опять. — Что читаете, милорд?

Гамлет

Слова, слова, слова.

Полоний

А в чем там дело, милорд?

Гамлет

Между кем и кем?

Полоний

Я хочу сказать, что написано в книге, милорд?

Гамлет

Клевета. Каналья сатирик утверждает, что у стариков седые бороды, лица в морщинах, из глаз густо сочится смола и сливовый клей и что их распирает от маломыслия, сопряженного со слабостью ляжек. Всему этому, сэр, я верю легко и охотно, но публиковать это считаю бесстыдством, ибо сами вы, милостивый государь, когда-нибудь состаритесь, как я, ежели, подобно раку, будете пятиться назад.

Полоний
(в сторону)

Если это и безумье, то по-своему последовательное. — Не уйти ли подальше с открытого воздуха, милорд?

Гамлет

Куда, в могилу?

Полоний

В самом деле, дальше нельзя. *(В сторону.)* Как проницательны подчас его ответы! Находчивость, которая часто сама валится на полоумных и не всегда жалует понятливых. Однако пойду поскорей придумаю, как бы ему встретиться с дочкой. — Досточтимый принц, прошу разрешенья удалиться.

Гамлет

Не мог бы вам дать ничего, сэр, с чем расстался бы охотней. Кроме моей жизни, кроме моей жизни, кроме моей жизни.

Полоний

Желаю здравствовать, принц.

Гамлет

О, эти несносные старые дурни!

Входят Розенкранц и Гильденстерн.

Полоний

Вам принца Гамлета? Вот он как раз.

Розенкранц
(Полонию)

Спасибо, сэр.

Полоний уходит.

Гильденстерн

Почтенный принц!

Розенкранц

Бесценный принц!

Гамлет

Ба, милые друзья! Ты, Гильденстерн?
Ты, Розенкранц? Ну как дела, ребята?

Розенкранц

Как у любого из сынов земли.

Гильденстерн

По счастью, наше счастье не чрезмерно.
Мы не верхи на колпаке Фортуны.

Гамлет

Но также не низы ее подошв?

Розенкранц

Ни то, ни это, принц.

Гамлет

Значит, вы где-то на полдороге к талии или
в самой сердцевине ее милостей.

Гильденстерн

Вот-вот. Там мы люди свои.

Гамлет

В тайниках Фортуны? Охотно верю. Это баба
бывалая. Однако что нового?

Розенкранц

Ничего, принц, кроме того, что в мире завелась
совесть.

Гамлет

Значит, скоро конец света. Впрочем, у вас лож-
ные сведенья. Однако давайте поподробнее. Чем
прогневили вы, дорогие мои, эту свою Фортуну,
что она шлет вас сюда, в тюрьму?

Гильденстерн

В тюрьму, принц?

Гамлет

Дания — тюрьма.

Розенкранц

Тогда весь мир тюрьма.

Гамлет

И притом образцовая, со множеством арестантских, темниц и подземелий, из которых Дания — наихудшее.

Розенкранц

Мы не согласны, принц.

Гамлет

Значит, для вас она не тюрьма, ибо сами по себе вещи не бывают хорошими и дурными, а только в нашей оценке. Для меня она тюрьма.

Розенкранц

Значит, тюрьмой делает ее ваша жажда славы. Вашим запросам тесно в ней.

Гамлет

О Боже! Заключите меня в скорлупу ореха, и я буду мнить себя повелителем бесконечности, только избавьте меня от дурных снов.

Гильденстерн

А вот сны-то и есть мечты о славе. Так что сущность честолюбца — это как бы тень, отбрасываемая сном.

Гамлет

Сон сам по себе только тень.

Розенкранц

Ваша правда. И по-моему, желанье славы такого воздушного строения, что всего лишь тень тени.

Гамлет

Итак, одни ничтожества у нас истинные тела, а владетельные и великие особы — тени ничтожеств. Однако, чем умствовать, не пойти ли лучше ко двору? Ей-богу, я едва соображаю.

Розенкранц и Гильденстерн

Мы ваши верные слуги.

Гамлет

Нет, к чему же! Мои слуги стали слишком хорошо следить за мной в последнее время. Но положа руку на сердце: зачем вы в Эльсиноре?

Розенкранц

В гостях у вас, принц, больше ни за чем.

Гамлет

При моей бедности, мала и моя благодарность. Но я благодарю вас. И однако: даже этой благодарности слишком для вас много. За вами не посылали? Это ваше собственное побужденье? Ваш приезд доброволен? А? Пожалуйста, по совести. А? А? Ну как?

Гильденстерн

Что нам сказать, милорд?

Гамлет

Ах, да что угодно, только не к делу! За вами послали. В ваших глазах есть род признанья, которое ваша сдержанность бессильна затушевать. Я знаю, добрый король и королева послали за вами.

Розенкранц

С какою целью, принц?

Гамлет

Это уж вам лучше знать. Но только заклинаю вас правами товарищества, былым единодушьем, обязательствами, налагаемыми нерушимой любовью, и всем тем из заветнейшего, что мог бы привести кто-нибудь поискусней, — без изворотов со мной: посылали за вами или нет?

Розенкранц
(Гильденстерну)

Что вы скажете?

Гамлет
(в сторону)

Ну вот, не в бровь, а в глаз. *(Громко.)* Если любите меня, не отпирайтесь.

Гильденстерн

Милорд, за нами послали.

Гамлет

Хотите, скажу вам — зачем? Таким образом, моя догадка предупредит вашу болтливость и ваша верность тайне короля и королевы не полиняет ни перышком. Недавно, не знаю почему, я потерял всю свою веселость и привычку к занятьям. Мне так не по себе, что этот цветник мирозданья, земля, кажется мне бесплодною скалою, а этот необъятный шатер воздуха с неприступно вознесшейся твердью, этот, видите ли, царственный свод, выложенный золотою искрой, на мой взгляд — просто-напросто скопленье вонючих и вредных паров. Какое чудо природы человек! Как благороден разумом! С какими безграничными способностями! Как точен и поразителен по складу и движеньям! В поступках как близок к ангелу! В воззреньях как близок к Богу! Краса вселенной! Венец всего живущего! А что мне эта квинтэссенция праха? Мужчины не занимают меня, и женщины тоже, как ни оспаривают этого ваши улыбки.

Розенкранц

Принц, ничего подобного не было у меня в мыслях!

Гамлет

Что же вы усмехнулись, когда я сказал, что мужчины не занимают меня?

Розенкранц

Я подумал, какой постный прием окажете вы в таком случае актерам. Мы их обогнали по дороге. Они направляются сюда предложить вам свои услуги.

Гамлет

Играющему королей — низкий поклон. Я буду данником его величества. Странствующий рыцарь найдет дело для своего меча и щита. Вздохи любовника не пропадут даром. Меланхолик обретет желанный покой. Над шутом будут надрывать животики все те, у кого они, как взведенные курки, только ждут щекотки. Пускай героиня выкладывает всю душу, не считаясь со стихосложением. Что это за актеры?

Розенкранц

Те самые, которые вам так нравились, — столичные трагики.

Гамлет

Что их толкнуло в разъезды? Постоянное пристанище было выгоднее в отношении денег и славы.

Розенкранц

Я думаю, их к этому принудили последние нововведенья.

Гамлет

Ценят ли их, как в прежнее время, когда я был в городе? Такие же ли у них сборы?

Розенкранц

Нет, в том-то и дело, что нет.

Гамлет

Отчего же? Разве они стали хуже?

Розенкранц

Нет, они подвизаются на своем поприще с прежним блеском. Но в городе объявился целый выводок детворы, едва из гнезда, которые берут самые верхние ноты и срывают нечеловеческие аплодисменты. Сейчас они в моде и подвергают таким нападкам обыкновенные театры, как они их называют, что люди со шпагами не решаются их посещать из страха гусиных перьев.

Гамлет

Неужели эти дети так страшны? Кто их содержит? Как им платят? Что, это их временное призванье? А позже, когда у них погрубеют голоса и они сами станут актерами обыкновенных театров, не пожалеют ли они, что старшие восстанавливали их против собственной будущности?

Розенкранц

Сказать правду, много было шуму с обеих сторон, и народ не считает грехом стравливать их друг с другом. Одно время за пьесу ничего не давали, если в ней не разделывались с противником.

Гамлет

Неужели?

Гильденстерн

О, крови при этом испорчено немало.

Гамлет

И мальчишки одолевают?

Розенкранц

Да, принц. И Геркулеса с его ношей.

Гамлет

Впрочем, это не удивительно. Например, сейчас дядя мой — датский король, и те самые, которые строили ему рожи при жизни моего отца, дают по двадцать, сорок, пятьдесят и по сто дукатов за его мелкие изображения. Черт возьми, тут есть что-то сверхъестественное, если бы только философия могла до этого докопаться.

Трубы за сценой.

Гильденстерн

Вот и актеры.

Гамлет

С приездом в Эльсинор вас, господа. Ваши руки, товарищи. В понятья радушья входят такт и светские условности. Обменяемся их знаками, чтобы после моей встречи с актерами вы не подумали, что с ними я более любезен. Еще раз, с приездом. Но мой дядя-отец и тетка-матушка ошибаются.

Гильденстерн

В каком отношении, милорд?

Гамлет

Я помешан только в норд-норд-вест. При южном ветре я еще отличу сокола от цапли.

Входит Полоний.

Полоний

Здравствуйте, господа.

Гамлет

Слушайте, Гильденстерн, и вы тоже. На каждое ухо по слушателю. Старый младенец, которого вы видите, еще не вышел из пеленок.

Розенкранц

Может быть, он попал в них вторично. Сказано ведь: старый, что малый.

Гамлет

Предсказываю, что он с сообщеньем об актерах. Вот увидите. — Совершенная правда, сэр. В понедельник утром, как вы сказали.

Полоний

Милорд, у меня есть новости для вас.

Гамлет

Милорд, у меня есть новости для вас. Когда Росций был в Риме актером...

Полоний

Актеры приехали, милорд.

Гамлет

Кудах-тах-тах, кудах-тах-тах...

Полоний

Ей-богу, милорд.

Гамлет

Прикатили на ослах...

Полоний

Лучшие в мире актеры на любой вкус, для исполнения трагедий, комедий, хроник, пасторалей, вещей пасторально-комических, историко-пасторальных, трагико-исторических, трагикомико- и историко-пасторальных, для сцен вне разряда и непредвиденных сочинений. Важность Сенеки, легкость Плавта для них не штука. В чтенье наизусть и экспромтом это люди единственные.

Гамлет

О Евфай, судья Израиля, какое у тебя было сокровище!

Полоний

Какое же это сокровище было у него, милорд?

Гамлет

А как же,

«Единственную дочь растил
И в ней души не чаял».

Полоний
(в сторону)

Всё норовит о дочке!

Гамлет

А? Не так, что ли, старый Евфай?

Полоний

Если Евфай — это я, то совершенно справедливо, у меня есть дочь, в которой я души не чаю.

Гамлет

Нет, ничуть это не справедливо.

Полоний

Что же тогда справедливо, милорд?

Гамлет

А вот что:

«А вышло так, как Бог судил,
И клад, как воск, растаял».

Продолженье, — виноват, — в первой строфе духовного стиха, потому что, видите, мы будем сейчас развлекаться.

Входят четверо или пятеро актеров.

Здравствуйте, господа. Милости просим. Рад вам всем. Здравствуйте, мои хорошие. — Ба, старый друг! Скажите, какой бородой завесился с тех пор, как не видались! Приехал, прикрывшись ею, подсмеиваться надо мною в Дании? — Вас ли я вижу, барышня моя? Царица небесная, вы на целый венецианский каблук залетели в небо с нашей последней встречи. Будем надеяться, ваш голос не фальшивит, как золото, изъятое из обращенья. — Милости просим, господа. Давайте, как французские сокольничьи, набросимся на первое, что попадется. Пожалуйста, какой-нибудь монолог. Дайте нам образчик вашего искусства. Ну! Какой-нибудь страстный монолог.

Первый актер

Какой монолог, добрейший принц?

Гамлет

Помнится, раз ты читал мне один отрывок, вещи никогда не ставили, или не больше разу, — пьеса не понравилась. Для большой публики это было, что называется, не в коня корм. Однако, как воспринял я и другие, еще лучшие судьи, это была великолепная пьеса, хорошо разбитая на сцены и написанная с простотой и умением. Помнится, возражали, что стихам недостает пряности, а язык не обнаруживает приподнятости, но находили работу добросовестной и приятною без прикрас. Один монолог я в ней особенно любил, это, где Эней рассказывает о себе Дидоне, и в особенности то место, где он говорит об убийстве Приама. Если он еще у вас в памяти, начните вот с какой строчки. Погодите, погодите.

«Свирепый Пирр, тот, что, как зверь
                    Гирканский...»

Нет, не так. Но начинается с Пирра:

«Свирепый Пирр, чьи черные доспехи
И мрак души напоминали ночь,
Когда лежал он, прячась в конском чреве,
Теперь закрасил черный цвет одежд

Малиновым, — и стал еще ужасней.
Теперь он с ног до головы в крови
Мужей и жен, и сыновей, и дочек,
Запекшейся в жару горящих стен,
Которые убийце освещают
Дорогу к цели. В кровяной коре,
Дыша огнем и злобой, Пирр безбожный,
Карбункулами выкатив глаза,
Приама ищет».

Продолжайте сами.

ПОЛОНИЙ

Ей-богу, хорошо, милорд, с хорошей дикцией
и чувством меры.

Первый актер

«Пирр его находит.
Насилу приподнявши меч, Приам
От слабости его роняет наземь.
Ему навстречу подбегает Пирр,
Сплеча замахиваясь на Приама;
Но этого уже и свист клинка
Сметает с ног. И тут как бы от боли
Стена дворца горящего, клонясь,
Обваливается и оглушает
На миг убийцу. Пирров меч в руке
Над головою так и остается,
Как бы вонзившись в воздух на лету.
С минуту, как убийца на картине,
Стоит, забывшись, без движенья Пирр,
Руки не опуская.
Но как бывает часто перед бурей,
Беззвучны выси, облака стоят,

84

Нет ветра, и земля, как смерть, притихла, —
Откуда ни возьмись внезапный гром
Раскалывает местность... Так, очнувшись,
Тем яростней возжаждал крови Пирр,
И вряд ли молот в кузнице циклопов
За ковкой лат для Марса плющил сталь
Бесчувственней, чем Пирров меч кровавый
Пал на Приама.
Стыдись, Фортуна! Дайте ей отставку,
О боги, отымите колесо,
Разбейте обод, выломайте спицы,
И круглый вал скатите с облаков
В тартарары!»

Полоний

Слишком длинно.

Гамлет

Это пошлют в цирюльню вместе с вашей бородой. — Продолжай, прошу тебя. Для него существуют только балеты и сальные анекдоты, а от прочего он засыпает. Продолжай. Перейди к Гекубе.

Первый актер

«Кто б увидал лохматую царицу...»

Гамлет

«Лохматую царицу»?

Полоний

Хорошо! «Лохматую царицу» — хорошо!

Первый актер

«Гася слезами пламя, босиком
Она металась с головной повязкой

Взамен венца, и обмотавши стан,
Сухой от многочадья, одеялом,
Случившимся в руках. Кто б увидал
Все это, ядовитыми словами
Фортуну бы позором заклеймил.
А если б боги сами подсмотрели,
Как потешался над царицей Пирр,
Кромсая перед нею тело мужа,
И если смертный мог бы их пронять, —
Тогда бы вопль несчастной, переполнив
Слезами жаркие глаза небес,
Смягчил бессмертных».

Полоний

Смотрите, он изменился в лице и весь в слезах! Пожалуйста, довольно.

Гамлет

Хорошо. Остальное доскажешь после. Почтеннейший, посмотрите, чтоб об актерах хорошо позаботились. Вы слышите, пообходительнее с ними, потому что они обзор и короткая повесть времени. Лучше иметь вам скверную надпись на гробнице, нежели дурной их отзыв при жизни.

Полоний

Принц, я обойдусь с ними по заслугам.

Гамлет

Нет, лучше, чтоб вас черт побрал, любезнейший! Если обходиться с каждым по заслугам, кто уйдет от порки? Обойдитесь с ними в меру вашего достоинства. Чем меньше у них заслуг, тем больше их будет у вашей щедрости. Проводите их.

Полоний

Пойдемте, господа.

Гамлет

Идите за ним, друзья. Завтра у нас представленье.

Полоний и все актеры, кроме первого, уходят.

Скажи, старый друг, можете вы сыграть «Убийство Гонзаго»?

Первый актер

Да, милорд.

Гамлет

Поставь это завтра вечером. Скажи, можно будет, в случае надобности, заучить кусок строк в двенадцать—шестнадцать, который я напишу и вставлю?

Первый актер

Да, милорд.

Гамлет

Превосходно. Ступай за тем господином, да смотри не передразнивай его.

Первый актер уходит.

Простимся до вечера, друзья мои. Еще раз: вы — желанные гости в Эльсиноре.

Розенкранц

Добрейший принц!

Храни вас Бог!

Один я. Наконец-то.
Какой же я холоп и негодяй!
Не страшно ль, что актер проезжий этот
В фантазии, для сочиненных чувств,
Так подчинил мечте свое сознанье,
Что сходит кровь со щек его, глаза
Туманят слезы, замирает голос,
И облик каждой складкой говорит,
Чем он живет. А для чего в итоге?
Из-за Гекубы!
Что он Гекубе? Что ему Гекуба?
А он рыдает. Что б он натворил,
Будь у него такой же повод к страсти,
Как у меня? Зал плавал бы в слезах.
Он оглушил бы громом монолога
Виновного, и свел его с ума,
И вразумил бы скромность и невинность,
И зренье бы и слух поверг во прах.
А я,
Тупой и жалкий выродок, слоняюсь
В сонливой лени и ни о себе
Не заикнусь, ни пальцем не ударю
Для короля, чью жизнь и власть смели
Так подло. Что ж, я трус? Кому угодно
Сказать мне дерзость? Дать мне тумака?
Как мальчику прочесть нравоученье?
Взять за нос? Обозвать меня лжецом
Заведомо безвинно? Кто охотник?

Смелее! В полученье распишусь.
Не желчь в моей печенке голубиной,
Позор не злит меня, а то б давно
Я выкинул стервятникам на сало
Труп изверга. Блудливый шарлатан!
Кровавый, лживый, злой, сластолюбивый!
О мщенье!
Ну и осел я, нечего сказать!
Я, сын отца убитого, на мщенье
Подвинутый из ада и с небес,
Как проститутка, изливаю душу
И громко сквернословью предаюсь,
Как судомойка!
Тьфу, черт! Проснись, мой мозг! Я где-то слышал,
Что люди с темным прошлым, находясь
На представленье, сходном по завязке,
Ошеломлялись живостью игры
И сами сознавались в злодеяньях.
Убийство выдает себя без слов,
Хоть и молчит. Я поручу актерам
Сыграть пред дядей вещь по образцу
Отцовой смерти. Послежу за дядей, —
Возьмет ли за живое. Если да,
Я знаю, как мне быть. Но может статься,
Тот дух был дьявол. Дьявол мог принять
Любимый образ. Может быть, лукавый
Расчел, как я устал и удручен,
И пользуется этим мне на гибель.
Нужны улики поверней моих,
Здесь, в записях. Для этого со сцены
Я совесть короля на них поддену.

(Уходит.)

АКТ ТРЕТИЙ

СЦЕНА ПЕРВАЯ

Эльсинор. Комната в замке.

Входят король, королева, Полоний, Офелия, Розенкранц и Гильденстерн.

Король

Так, значит, вы не можете добиться,
Зачем он напускает эту дурь?
Чем взвинчен он, что, не боясь последствий,
В душевном буйстве тратит свой покой?

Розенкранц

Он сам признал, что не в своей тарелке,
Но почему, не хочет говорить.

Гильденстерн

Выпытыванью он не поддается.
Едва заходит о здоровье речь,
Он ускользает с хитростью безумца.

Королева

А как он принял вас?

Розенкранц

        Как джентльмен.

Гильденстерн

Но с некоторой долей принужденья.

Розенкранц

Скупился на вопросы, но в ответ
Был разговорчив.

Королева

            Вы его не звали
Развлечься?

Розенкранц

        Как же. Все само сошлось.
Дорогою мы встретили актеров.
Узнав об этом, он был очень рад.
Во всяком случае, актеры в замке
И получили, кажется, приказ
Играть сегодня.

Полоний

        Истинная правда.
Он просит августейшую чету
Пожаловать к спектаклю.

Король

                С наслажденьем.
Мне радостно узнать, что у него
Такие интересы. Джентльмены,

И дальше поощряйте эту страсть.
Пусть не хандрит.

Розенкранц

Приложим все усилья.

Розенкранц и Гильденстерн уходят.

Король

Моя Гертруда, удались и ты.
За Гамлетом негласно подослали.
Он здесь столкнется как бы невзначай
С Офелией. Шпионы поневоле,
Мы спрячемся вблизи с ее отцом
И разузнаем, в чем несчастье принца:
Любовь ли это точно или нет.

Королева

Сейчас я удалюсь. А вам желаю,
Офелия, чтоб ваша красота
Была единственной болезнью принца,
А ваша добродетель навела
Его на путь, к его и вашей чести.

Офелия

О, дал бы Бог.

Королева уходит.

Полоний

Офелия, сюда.
Прогуливайся. Государь, извольте
Всемилостиво скрыться. Дочь, возьми
Для вида книгу. Чтенье оправдает

Укромность места. — Все мы хороши:
Святым лицом и внешним благочестьем
При случае и черта самого
Обсахарим.

КОРОЛЬ

(в сторону)

О, это слишком верно.
Он этим, как ремнем, меня огрел.
Ведь щеки шлюхи, если снять румяна,
Не так ужасны, как мои дела
Под красными словами. О, как тяжко!

ПОЛОНИЙ

Он близко. Отойдемте, государь.

Король и Полоний уходят. Входит Гамлет.

ГАМЛЕТ

Быть иль не быть, вот в чем вопрос.
Быть иль не быть, вот в чем вопрос. Достойно ль
Души терпеть удары и щелчки
Обидчицы судьбы иль лучше встретить
С оружьем море бед и положить
Конец волненьям? Умереть. Забыться.
И все. И знать, что этот сон — предел
Сердечных мук и тысячи лишений,
Присущих телу. Это ли не цель
Желанная? Скончаться. Сном забыться.
Уснуть. И видеть сны? Вот и ответ.
Какие сны в том смертном сне приснятся,
Когда покров земного чувства снят?
Вот объясненье. Вот что удлиняет

Несчастьям нашим жизнь на столько лет.
А то кто снес бы униженья века,
Позор гоненья, выходки глупца,
Отринутую страсть, молчанье права,
Надменность власть имущих и судьбу
Больших заслуг перед судом ничтожеств,
Когда так просто сводит все концы
Удар кинжала? Кто бы согласился
Кряхтя под ношей жизненной плестись,
Когда бы неизвестность после смерти,
Боязнь страны, откуда ни один
Не возвращался, не склоняла воли
Мириться лучше со знакомым злом,
Чем бегством к незнакомому стремиться.
Так всех нас в трусов превращает мысль.
Так блекнет цвет решимости природной
При тусклом свете бледного ума,
И замыслы с размахом и почином
Меняют путь и терпят неуспех
У самой цели. Между тем довольно! —
Офелия! О радость! Помяни
Мои грехи в своих молитвах, нимфа.

Офелия

Принц, были ль вы здоровы это время?

Гамлет

Благодарю: вполне, вполне, вполне.

Офелия

Принц, у меня от вас есть подношенья.
Я вам давно хотела их вернуть.
Возьмите их.

Гамлет

Да полно, вы ошиблись.
Я в жизни ничего вам не дарил.

Офелия

Дарили, принц, вы знаете прекрасно.
С придачею певучих нежных слов,
Их ценность умножавших. Так как запах
Их выдохся, возьмите их назад.
Порядочные девушки не ценят,
Когда их одаряют, и изменят.
Пожалуйста.

Гамлет

Ах, так вы порядочная девушка?

Офелия

Милорд?

Гамлет

И вы хороши собой?

Офелия

Что разумеет ваша милость?

Гамлет

То, что если вы порядочная и хороши собой, вашей порядочности нечего делать с вашей красотою.

Офелия

Разве для красоты не лучшая спутница порядочность?

Гамлет

О, конечно. И скорей красота стащит порядочность в омут, нежели порядочность исправит красоту. Прежде это считалось парадоксом, а теперь доказано. Я вас любил когда-то.

Офелия

Действительно, принц, мне верилось.

Гамлет

А не надо было верить. Сколько ни прививай добродетель к нашему грешному стволу, старины не выкурить. Я не любил вас.

Офелия

Тем больней я обманулась.

Гамлет

Ступай в обитель. К чему плодить грешников? Сам я — сносной нравственности. Но и я стольким мог бы попрекнуть себя, что лучше бы моя мать не рожала меня. Я очень горд, мстителен, самолюбив. И в моем распоряженье больше гадостей, чем мыслей, чтобы эти гадости обдумать, фантазии, чтоб облечь их в плоть, и времени, чтобы их исполнить. Какого дьявола люди вроде меня толкутся меж небом и землею? Все мы кругом обманщики. Не верь никому из нас. Ступай добром в обитель. Где твой отец?

Офелия

Дома, милорд.

Гамлет

Надо запирать за ним покрепче, чтобы он разыгрывал дурака только с домашними. Иди с миром.

Офелия

Святые силы, помогите ему!

Гамлет

Если пойдешь замуж, вот проклятье тебе в приданое. Будь непорочна, как лед, и чиста, как снег, не уйти тебе от клеветы. Затворись в обители, говорят тебе. Иди с миром. А если тебе непременно надо мужа, выходи за глупого. Слишком уж знают умные, каких чудищ вы из них делаете. В обитель, говорят тебе. И не откладывай. Иди с миром.

Офелия

Силы небесные, исцелите его!

Гамлет

Наслышался и про вашу живопись. Бог дал вам одно лицо, а вы себе — другое. Иная и хвостом, и ножкой, и языком, и всякую Божью тварь обзовет по-своему, но какую штуку ни выкинет, все это одна святая невинность. Нет, шалишь. Довольно. На этом я спятил. Никаких свадеб. Кто уже в браке, дай Бог здоровья всем, кроме одного. Остальные пусть обходятся по-прежнему. Ступай в обитель. *(Уходит.)*

Офелия

Какого обаянья ум погиб!
Соединенье знанья, красноречья

И доблести, наш праздник, цвет надежд,
Законодатель вкусов и приличий,
Их зеркало... все вдребезги. Все, все...
А я? Кто я, беднейшая из женщин,
С недавним медом клятв его в душе,
Теперь, когда могучий этот разум,
Как колокол надбитый, дребезжит,
А юношеский облик бесподобный
Изборожден безумьем. Боже мой!
Что видела! Что вижу пред собой!

Король и Полоний возвращаются.

Король

Любовь? Он поглощен совсем не ею.
К тому ж — хоть связи нет в его словах,
В них нет безумья. Он не то лелеет
По темным уголкам своей тоски,
Высиживая что-то поопасней.
Чтоб вовремя беду предотвратить,
Пришел я к следующему решенью:
Он в Англию немедля отплывет
Для сбора недовыплаченной дани.
Быть может, море, новые края
И люди выбьют у него из сердца
То, что сидит там и над чем он сам
Ломает голову до отупенья.
Что думаете вы на этот счет?

Полоний

Что ж, это — мысль. А думать продолжаю,
Что основной предмет его хандры —
Несчастная любовь. — Ну что, дочурка?

Не повторяй, что Гамлет говорил.
Слыхали сами. — Что же, ваша воля.
На вашем месте, досмотрев спектакль,
Я раньше свел бы принца с королевой.
Пусть выспросит его наедине.
Хотите, я подслушаю беседу.
Не раскусить и ей его, — ну что ж,
Сошлите в Англию, или сажайте,
Куда рассудите.

Король

Быть по сему.
Влиятельных безумцев шлют в тюрьму.

(Уходит.)

СЦЕНА ВТОРАЯ

Там же. Зал в замке.

Входят Гамлет и несколько актеров.

Гамлет

Говорите, пожалуйста, роль, как я показывал: легко и без запинки. Если же вы собираетесь ее горланить, как большинство из вас, лучше было бы отдать ее публичному выкликале. Кроме того, не пилите воздуха вот этак руками, но всем пользуйтесь в меру. Даже в потоке, буре и, скажем, урагане страсти учитесь сдержанности, которая придает всему стройность. Как не возмущаться, когда здоровенный детина в саженном парике рвет перед вами страсть в куски и клочья, к восторгу

99

стоячих мест, где ни о чем, кроме немых панто-
мим и простого шума, не желают слышать. Я бы
отдал высечь такого молодчика за одну мысль пе-
реиродить Ирода. Это уж какое-то сверхсатанин-
ство. Избегайте этого.

Первый актер

Будьте покойны, ваша светлость.

Гамлет

Однако и без лишней скованности, но во всем
слушайтесь внутреннего голоса. Двигайтесь в со-
гласии с диалогом, говорите, следуя движеньям, с
тою только оговоркой, чтобы это не выходило из
границ естественности. Каждое нарушенье меры
отступает от назначенья театра, цель которого во
все времена была и будет: держать, так сказать,
зеркало перед природой, показывать доблести ее
истинное лицо и ее истинное — низости, и каж-
дому возрасту истории его неприкрашенный облик. Если тут перестараться или недоусердство-
вать, непосвященные будут смеяться, но знаток
опечалится, а суд последнего, с вашего позволе-
нья, должен для вас перевешивать целый театр,
полный первых. Мне попадались актеры, и среди
них прославленные, и даже до небес, которые, не
во гнев им будь сказано, голосом и манерами не
были похожи ни на крещеных, ни на нехристей,
ни на кого бы то ни было на свете. Они так дви-
гались и завывали, что брало удивленье, какой же
это поденщик природы смастерил людей, и притом так неважно, до того чудовищным изображали они человечество.

Первый актер

Надеюсь, у себя, принц, мы, как могли, это устранили.

Гамлет

Устраните совершенно. А играющим дураков запретите говорить больше, чем для них написано. Некоторые доходят до того, что хохочут сами, для увеселенья худшей части публики, в какой-нибудь момент, существенный для хода пьесы. Это недопустимо и показывает, какое дешевое самолюбье у таких шутников. Подите приготовьтесь.

Актеры уходят. Входят Полоний, Розенкранц и Гильденстерн.

Гильденстерн

Ну как, милорд, желает ли король послушать эту пьесу?

Полоний

И королева также, и как можно скорее.

Гамлет

Велите актерам поторопиться.

Полоний уходит.

Вы б не пошли вдвоем поторопить их?

Розенкранц и Гильденстерн

Немедленно, милорд.

Гамлет

Горацио!

Входит Горацио.

Горацио

Здесь, принц, к услугам вашим.

Гамлет

Горацио, ты изо всех людей,
Каких я знаю, самый неподдельный.

Горацио

О, что вы, принц.

Гамлет

Не думай, я не льщу.
Зачем мне льстить, когда твое богатство
И стол и кров — один веселый нрав?
Нужде не льстят. Подлизам предоставим
Умильничать в передних богачей.
Пусть гнут колени там, где раболепье
Приносит прибыль. Слушай-ка. С тех пор
Как для меня законом стало сердце
И в людях разбирается, оно
Отметило тебя. В тебе есть цельность.
Все выстрадав, ты сам не пострадал.
Ты сносишь все, и равно благодарен
Судьбе за гнев и милости. Блажен,
В ком кровь и ум такого же состава.
Он не рожок под пальцами судьбы,
Чтоб петь, смотря какой откроют клапан.
Кто выше страсти? Дай его сюда,
Я в сердце заключу его с тобою,

Нет, даже в сердце сердца. Но постой.
Сегодня королю играют пьесу.
Я говорил тебе про смерть отца.
Там будет точный сколок этой сцены.
Когда начнется этот эпизод,
Будь добр, смотри на дядю не мигая.
Он либо выдаст чем-нибудь себя
При виде сцены, либо этот призрак
Был демон зла, а в мыслях у меня
Такой же чад, как в кузнице Вулкана.
Итак, будь добр, гляди во все глаза.
Вопьюсь и я, а после сопоставим
Итоги наблюдений.

Горацио

По рукам.
И если вор уйдет неуличенным,
Я штраф плачу за скрытье воровства.

Гамлет

Они идут. Я вновь больным прикинусь.
Займи места.

Датский марш. Трубы.

Входят к о р о л ь, к о р о л е в а, П о л о н и й, О ф е л и я,
Р о з е н к р а н ц, Г и л ь д е н с т е р н и д р у г и е.

Король

Как здравствует принц крови нашей, Гамлет?

Гамлет

Верите ли, — превосходно. По-хамелеонски. Питаюсь воздухом, наченным обещаньями. Так не откармливают и каплунов.

103

Король

Это ответ не в мою сторону, Гамлет. Это не мои слова.

Гамлет

А теперь и не мои. *(К Полонию.)* Милорд, вы играли в свою бытность в университете, не правда ли?

Полоний

Играл, милорд, и считался хорошим актером.

Гамлет

Кого же вы играли?

Полоний

Я играл Юлия Цезаря. Меня убивали в Капитолии. Брут убил меня.

Гамлет

С его стороны было брутально убивать такого капитального теленка. — Готовы актеры?

Розенкранц

Да, милорд. Они ждут вашего приказанья.

Королева

Поди сюда, милый Гамлет, сядь рядом.

Гамлет

Нет, матушка, тут металл попритягательней.

Полоний
(вполголоса королю)

Ого, слыхали?

Гамлет

Леди, можно к вам на колени? *(Растягивается у ног Офелии.)*

Офелия

Нет, милорд.

Гамлет

То есть, виноват: можно голову к вам на колени?

Офелия

Да, милорд.

Гамлет

А вы уж решили — какое-нибудь неприличье?

Офелия

Ничего я не решила, милорд.

Гамлет

А ведь это чудная мысль — лежать у девушки меж ног.

Офелия

Что такое, милорд?

Гамлет

Ничего.

Офелия

Принц, вы сегодня в ударе?

Гамлет

Кто, я?

Офелия

Да, милорд.

Гамлет

Господи, ради вас я и колесом пройдусь. Впрочем, что и остается, как не веселиться? Взгляните, какой радостный вид у моей матери, а всего два часа, как умер мой отец.

Офелия

Нет, принц, полных дважды два месяца.

Гамлет

Как? Так много? Ну тогда к дьяволу траур. Буду ходить в соболях. Силы небесные! Умер назад два месяца, и все еще не забыт! Тогда есть надежда, что память великого человека переживет его на полгода. Но только пусть жертвует на построенье храмов, а то никто не вспомнит о нем, как о деревянной лошадке, у которой на могиле надпись:

«Где ноги, где копыта.
Заброшена, забыта».

Играют гобои. Начинается пантомима. Входят к о р о л ь и к о р о л е в а с проявленьями нежности. Королева обнимает короля, а он ее. Она становится на колени перед ним

106

с изъявленьями преданности. Он поднимает ее и кладет голову ей на плечо. Потом ложится в цветнике на клумбу. Видя, что он уснул, она уходит. Тогда входит человек, снимает с него корону, целует ее, вливает в ухо короля яд и уходит. Возвращается королева, видит, что король мертв, и знаками выражает отчаяние. Снова входит отравитель с двумя или тремя носильщиками, давая понять, что разделяет ее горе. Труп уносят. Отравитель подарками добивается благосклонности королевы. Вначале она с негодованием отвергает его любовь, но под конец смягчается.

Уходят.

Офелия

Что это означает, принц?

Гамлет

«Змея подколодная», а означает темное дело.

Офелия

Наверное, пантомима выражает содержание предстоящей пьесы?

Входит Пролог.

Гамлет

Сейчас мы все узнаем от этого малого. Актеры не умеют хранить тайн и должны все выболтать.

Офелия

Он объяснит значенье показанной вещи?

Гамлет

Да, и любой вещи, которую вы ему покажете. Не стыдитесь только показывать, а он без стыда будет объяснять, что это значит.

Офелия

Вы злюка, вы злюка. Я буду смотреть пьесу.

Пролог

Пред нашим представленьем
Мы просим со смиреньем
Нас выслушать с терпеньем.

Гамлет

Что это, пролог или надпись для колечка?

Офелия

Действительно коротковато, милорд.

Гамлет

Как женская любовь.

Входят два актера: король *и* королева.

Король на сцене

В тридцатый раз на конях четверней
Объехал Феб моря и мир земной,
И тридцать дюжин лун вокруг земли
Двенадцать раз по тридцать раз прошли,
С тех пор как нам сближает все тесней
Любовь — сердца, а руки — Гименей.

Королева на сцене

О если б нам еще раз ход светил
На тот же срок любовь и жизнь продлил!
Но горе мне, — годам наперекор
Болезнен вид ваш с некоторых пор.

Однако опасаться вам, дружок,
Нет надобности ни на волосок.
Страшится или любит женский пол,
В нем все без меры, всюду пересол.
Моей любви изведали вы вкус,
Люблю я слепо, слепо и страшусь.
Где чувство в силе, страшно пустяка,
Где много любят, малость велика.

Король на сцене

Душа моя, прощанья близок час.
К концу приходит сил моих запас,
А ты и дальше в славе и любви
Существованья радостью живи.
Другой супруг, как знать...

Королева на сцене

                  Не суесловь.
Предательством была бы та любовь.
Убей меня за новым мужем гром!
Кровь первого да будет на втором!

Гамлет

(в сторону)

Труха, труха!

Королева на сцене

Не по любви вступают в новый брак.
Расчет и жадность — вот его рычаг.
Пускать второго в брачную кровать,
По первом значит память убивать.

Король на сцене

Мне верится, вы искренни во всем.
Но мы привязанности сами рвем.
Обеты нам подсказывает страсть:
Остынет жар, они должны отпасть,
Как с ветки падает созревший плод,
Когда свалиться время настает.
Чтоб жить, должны мы клятвы забывать,
Которые торопимся давать.
И мы живем не чем-нибудь одним,
А сменой увлечений жить хотим.
Печаль и радость в дикости причуд
Сметают сами, что произведут.
Печали жалок радости предмет,
А радости до горя дела нет.
Итак, когда все временно и тлен,
Как и любви уйти от перемен?
Кто вертит кем, еще вопрос большой,
Судьба любовью иль любовь судьбой?
Ты пал, и друг лицо отворотил.
Ты всплыл, и ты врагам вчерашним мил.
Нарочно это или невзначай?
Кто дружбой сыт, друзей хоть отбавляй,
А кто в нужде подумает о ком,
Единственного делает врагом.
Но кончу тем, откуда речь повел.
Превратностей так полон произвол,
Что в нашей власти в случае нужды
Одни желанья, а не их плоды.
Так и боязнь второго сватовства
Жива у вас до первого вдовства.

110

Королева на сцене

Померкни свет, погибни урожай!
И день и ночь покою я не знай!
Отчаянье заволоки мой взор!
Будь жизнью мне отшельницы затвор!
Недобрый вихрь развей в небытии
Мои надежды и мечты мои!
Малейший шаг ввергай меня в беду,
Когда, вдова, я замуж вновь пойду!

Гамлет

А ну обманет?

Король на сцене

Зарок не шутка. Но оставь меня.
Я утомился сутолокой дня
И отдохну немного.

(Засыпает.)

Королева на сцене

                    Выспись всласть,
И да минует в жизни нас напасть.

(Уходит.)

Гамлет

Сударыня, как вам нравится пьеса?

Королева

По-моему, леди слишком много обещает.

Гамлет

О, но она сдержит слово.

111

Король

Вы знаете содержанье? В нем нет ничего предосудительного?

Гамлет

Нет, нет. Все это в шутку, отравленье в шутку. Ровно ничего предосудительного.

Король

Как названье пьесы?

Гамлет

«Мышеловка». Но как это понимать? Фигурально. Пьеса изображает убийство, совершенное в Вене. Имя герцога — Гонзаго. Его жена — Баптиста. Вы сейчас увидите. Это препакостнейшая проделка. Но нам-то что с того? Вашего величества и нас, с нашей чистой совестью, это не касается. Пусть кляча кидает задом, если зашибла. Наши кости в порядке.

Входит Луциан.

Это некто Луциан, племянник короля.

Офелия

Вы хорошо заменяете хор, милорд.

Гамлет

Я б мог быть пояснителем между вами и вашей зазнобой, если б только эти куклы дались мне в руки.

Офелия

Вы остры, принц, вы остры.

Гамлет

Вам пришлось бы постонать, чтобы притупить меня.

Офелия

Час от часу не легче.

Гамлет

Как в замужестве. — Начинай, убийца. Ну, чума ты этакая! Брось свои безбожные рожи и начинай. Ну! «Взывает к мести каркающий ворон».

Луциан

Рука тверда, дух черен, крепок яд,
Удобен миг, ничей не видит взгляд.
Теки, теки, верши свою расправу,
Гекате посвященная отрава!
Спеши весь вред, который в травах есть,
Над этой жизнью в действие привесть!

Вливает яд в ухо спящего.

Гамлет

Он отравляет его в саду, чтобы завладеть престолом. Имя герцога — Гонзаго. История существует отдельно, изложенная отборным итальянским языком. Сейчас вы увидите, как убийца заручается любовью жены Гонзаго.

Офелия

Король встает.

Гамлет

Испугался хлопушки?

Королева

Что с его величеством?

Полоний

Прервите пьесу.

Король

Посветите мне. Скорей на воздух.

Все

Огня, огня, огня!

Уходят все, кроме Гамлета и Горацио.

Гамлет

Пусть раненый олень ревет,
А уцелевший скачет.
Где — спят, а где — ночной обход:
Кому что рок назначит.

Ну-с, сэр, если бы другие виды на будущее про-
летели у меня к туркам, разве это, да целый лес
перьев, да пара провансальских роз на башмаках
не доставили бы мне места в актерской труппе?

Горацио

С половинным окладом.

Гамлет

Нет, с полным.

Ты знаешь, дорогой Дамон,
Юпитера орел
Слетел с престола, и на трон
Воссел простой осе...тр.

Горацио

Вы могли бы и в рифму.

Гамлет

О, Горацио! Тысячу фунтов за каждое слово
призрака. Ты заметил?

Горацио

Еще бы, принц.

Гамлет

Когда заиграли отравленье.

Горацио

Я с него глаз не спускал.

Гамлет

Ах, ах! А ну, а ну музыку! Ну-ка, флейтисты!

    Раз королю неинтересна пьеса,
    Нет для него в ней, значит, интереса.

А ну, а ну музыку!

Возвращаются Розенкранц и Гильденстерн.

Гильденстерн

Добрейший принц! Можно попросить вас на
два слова?

Гамлет

Хоть на целую историю, сэр.

Гильденстерн

Король, сэр...

Гамлет

Да, сэр, что с ним?

Гильденстерн

Удалился к себе и чувствует себя очень скверно.

Гамлет

От вина, сэр?

Гильденстерн

Нет, сэр, скорее от желчи.

Гамлет

Остроумней было бы сказать это его врачу. Если я примусь чистить его своими средствами, опасаюсь, как бы желчь не разлилась у него еще сильнее.

Гильденстерн

Добрейший принц, введите свою речь в какие-нибудь рамки и не чурайтесь все время того, что мне поручено.

Гамлет

Пожалуйста. Я весь смиренье и слух.

Гильденстерн

Королева, ваша матушка, в крайнем удрученье послала меня к вам.

Гамлет

Милости просим.

Гильденстерн

Нет, добрейший принц, сейчас эти любезности ни к чему. Если вам угодно дать мне надлежащий ответ, я исполню приказанье вашей матери. Если нет, я попрошу принять мои извиненья и удалюсь.

Гамлет

Не могу, сэр!

Гильденстерн

Чего, милорд?

Гамлет

Дать вам надлежащий ответ. У меня мозги не в порядке. Но какой бы ответ я вам ни дал, располагайте им, как найдете нужным. Вернее, это относится к моей матери. Итак, ни слова больше. К делу. Моя мать, говорите вы...

Розенкранц

В таком случае вот что. Ваше поведение, говорит она, повергло ее в изумленье и ошеломило.

Гамлет

О, удивительный сын, так удивляющий свою мать! А не прилипло ли к этому удивленью чего-нибудь повещественней? Любопытно.

Розенкранц

Она желает поговорить с вами у себя в комнате, прежде чем вы ляжете спать.

Гамлет

Рады стараться, будь она нам хоть десять раз матерью. Чем еще можем служить вам?

Розенкранц

Принц, вы когда-то любили меня.

Гамлет
(показывая на свои руки)

Как и сейчас, клянусь этими ворами и загребалами.

Розенкранц

Добрейший принц! Что причина вашего нездоровья? Вы сами отрезаете путь к своему спасенью, пряча свое горе от друга.

Гамлет

Я нуждаюсь в служебном повышенье.

Розенкранц

Как это возможно, когда сам король назначил вас наследником датского престола?

Гамлет

Да, сэр, но «пока трава вырастет...» — старовата поговорка.

Возвращаются музыканты с флейтами.

А, флейты! Дайте мне одну на пробу. Отойдите в сторону. Что это вы все вьетесь вокруг да около, точно хотите загнать меня в какие-то сети?

Гильденстерн

О, принц, если мое участие так навязчиво, значит, так безоговорочна моя любовь.

Гамлет

Я что-то не понял. Ну да все равно. Вот флейта. Сыграйте что-нибудь.

Гильденстерн

Принц, я не умею.

Гамлет

Пожалуйста.

Гильденстерн

Уверяю вас, я не умею.

Гамлет

Но я прошу вас.

Гильденстерн

Но я не знаю, как за это взяться.

Гамлет

Это так же просто, как лгать. Перебирайте отверстия пальцами, вдувайте ртом воздух, и из нее польется выразительнейшая музыка. Видите, вот клапаны.

Гильденстерн

Но я не знаю, как ими пользоваться. У меня ничего не выйдет. Я не учился.

Гамлет

Смотрите же, с какою грязью вы меня смешали! Вы собираетесь играть на мне. Вы приписываете себе знанье моих клапанов. Вы уверены, что выжмете из меня голос моей тайны. Вы воображаете, будто все мои ноты снизу доверху вам открыты. А эта маленькая вещица нарочно приспособлена для игры, у ней чудный тон, и тем не менее вы не можете заставить ее говорить. Что ж вы думаете, я хуже флейты? Объявите меня каким угодно инструментом, вы можете расстроить меня, но играть на мне нельзя.

Возвращается Полоний.

Благослови вас Бог, сэр.

Полоний

Милорд, королева желает поговорить с вами, и немедленно.

Гамлет

Видите вы вон то облако в форме верблюда?

Полоний

Ей-богу, вижу, и действительно, ни дать ни взять верблюд.

Гамлет

По-моему, оно смахивает на хорька.

Полоний

Правильно: спинка хорьковая.

Гамлет

Или как у кита.

Полоний

Совершенно как у кита.

Гамлет

Ну, так я приду сейчас к матушке. *(В сторону.)* Они сговорились меня с ума свести. — Я сейчас приду.

Полоний

Я так и доложу.

Гамлет

Шутка сказать: «сейчас». — Оставьте меня, приятели.

Уходят все, кроме Гамлета.

Теперь пора ночного колдовства.
Скрипят гроба и дышит ад заразой.
Сейчас я мог бы пить живую кровь,
И на дела способен, от которых
Отпряну днем. Итак, нас мать звала.
Без зверства, сердце! Что бы ни случилось,
Души Нерона в грудь мне не вселяй.
Я буду строг, но не бесчеловечен.
Все выскажу и без ножа убью.
Уста мои, прощаю вам притворство.

Куда б слова ни завели в бреду,
Я в исполненье их не приведу.

(Уходит.)

СЦЕНА ТРЕТЬЯ

Комната в замке.

Входят король, Розенкранц и Гильденстерн.

Король

Я не люблю его и потакать
Безумью не намерен. Приготовьтесь.
Сейчас я вам бумаги подпишу
И в Англию его отправлю с вами.
Наш сан не терпит, чтоб из-за угла
Везде подстерегала нас случайность
Под видом блажи.

Гильденстерн

      Соберемся в путь.
Священно в корне это попеченье
О тысячах, которые живут
Лишь вашего величества заботой.

Розенкранц

Долг каждого беречься от беды
Всей силой, предоставленной рассудку.
Какая ж осмотрительность нужна
Тому, от чьей сохранности зависит
Жизнь множества. Кончина короля
Не просто смерть. Она уносит в бездну

Всех близстоящих. Это — колесо,
Торчащее у края горной кручи,
К которому приделан целый лес
Зубцов и перемычек. Эти зубья
Всех раньше, если рухнет колесо,
На части разлетятся. Вздох владыки
Во всех в ответ рождает стон великий.

Король

Пожалуйста, скорей сберитесь в путь.
Пора забить в колодки этот ужас,
Гуляющий на воле.

Розенкранц и Гильденстерн

Поспешим.

Розенкранц и Гильденстерн уходят.
Входит Полоний.

Полоний

Он к матери прошел. Хочу подслушать,
Став за висящим на стене ковром.
Она его, наверно, отчитает.
Но ваша правда: мать тут не судья.
Она лицеприятна. Не мешает,
Чтоб был при этом кто-нибудь другой
И наблюдал. Прощайте, государь мой.
С разведки этой я еще пред сном
К вам загляну.

Король

Благодарю вас, друг мой.

Полоний уходит.

Удушлив смрад злодейства моего.
На мне печать древнейшего проклятья:
Убийство брата. Жаждою горю,
Всем сердцем рвусь, но не могу молиться.
Помилованья нет такой вине.
Как человек с колеблющейся целью,
Не знаю, что начать, и ничего
Не делаю. Когда бы кровью брата
Был весь покрыт я, разве и тогда
Омыть не в силах небо эти руки?
Что делала бы благость без злодейств?
Зачем бы нужно было милосердье?
Мы молимся, чтоб Бог нам не дал пасть
Или нас спас из глубины паденья.
Отчаиваться рано. Выше взор!
Я пал, чтоб встать. Какими же словами
Молиться тут? «Прости убийство мне»?
Нет, так нельзя. Я не вернул добычи.
При мне все то, зачем я убивал:
Моя корона, край и королева.
За что прощать того, кто тверд в грехе?
У нас не редкость, правда, что преступник
Грозится пальцем в золотых перстнях,
И самые плоды его злодейства
Есть откуп от законности. Не то
Там наверху. Там в подлинности голой
Лежат деянья наши без прикрас,
И мы должны на очной ставке с прошлым
Держать ответ. Так что же? Как мне быть?
Покаяться? Раскаянье всесильно.
Но что, когда и каяться нельзя!
Мучение! О грудь, чернее смерти!
О лужа, где, барахтаясь, душа

Все глубже вязнет! Ангелы, на помощь!
Скорей, колени, гнитесь! Сердца сталь,
Стань, как хрящи новорожденных, мягкой!
Все поправимо.

Отходит в глубину и становится на колени.
Входит Г а м л е т.

Г а м л е т

Он молится. Какой удобный миг!
Удар мечом, и он взовьется к небу,
И вот возмездье. Так ли? Разберем.
Меня отца лишает проходимец,
А я за то его убийцу шлю
В небесный рай.
Да это ведь награда, а не мщенье.
Отец погиб с раздутым животом,
Весь вспучившись, как май, от грешных соков.
Бог весть, какой еще за это спрос,
Но по всему, наверное, не малый.
Так месть ли это, если негодяй
Испустит дух, когда он чист от скверны
И весь готов к далекому пути?
Нет.
Назад, мой меч, до боле страшной встречи.
Когда он будет в гневе или пьян,
В объятьях сна или нечистой неги,
В пылу азарта, с бранью на устах
И чем-нибудь, что только не к спасенью,
Тогда подбрось его ногами вверх,
Чтоб кубарем, весь черный от пороков,
Упал он в ад. — Но мать звала. — Поцарствуй.
Отсрочка это лишь, а не лекарство.

(Уходит.)

Король

(поднимаясь)

Слова парят, а чувства книзу гнут,
А слов без чувств вверху не признают.

(Уходит.)

СЦЕНА ЧЕТВЕРТАЯ

Комната королевы.
Входят королева и Полоний.

Полоний

Он к вам идет. Предупредите сына:
Пусть обуздает выходки свои.
Скажите, вы собою заслонили
Его от кары. Я забьюсь в углу.
Пожалуйста, покруче.

Гамлет

(за сценой)

Леди, леди!

Королева

Не бойтесь, положитесь на меня.
Он, кажется, идет. Вам надо скрыться.

Полоний становится за стенным ковром.
Входит Гамлет.

Гамлет

Ну, матушка, чем вам могу служить?

Королева

Зачем отца ты оскорбляешь, Гамлет?

Гамлет

Зачем отца вы оскорбили, мать?

Королева

Ты говоришь со мною, как невежа.

Гамлет

Вы спрашиваете, как лицемер.

Королева

Что это значит, Гамлет?

Гамлет

      Что вам надо?

Королева

Ты помнишь, кто я?

Гамлет

     Помню, вот вам крест.
Вы королева в браке с братом мужа
И, к моему прискорбью, мать моя.

Королева

Так пусть с тобой поговорят другие.

Гамлет

Ни с места. Сядьте. Я вас не пущу
И зеркало поставлю перед вами,
Где вы себя увидите насквозь.

Королева

Что ты задумал? Он меня заколет!
Не подходи! Спасите!

Полоний
(за ковром)

Боже мой!

Гамлет
(обнажая шпагу)

Ах, так? Тут крысы? На пари — готово.

(Протыкает ковер.)

Полоний
(за ковром)

Убит!

(Падает и умирает.)

Королева

Что ты наделал!

Гамлет

Разве там
Стоял король?

Королева

Какое беспримерное злодейство!

Гамлет

Не больше, чем убийство короля
И обрученье с деверем, миледи.

Королева

Убийство короля?

Гамлет

Да, леди, да.

(Откидывает ковер и обнаруживает Полония.)

Прощай, вертлявый, глупый хлопотун!
Тебя я с высшим спутал, — вот в чем горе.
Ты видишь, суетливость не к добру.
А вы садитесь. Рук ломать не надо.
Я сердце вам сломаю, если все ж
Оно из бьющегося матерьяла
И пагубные навыки не сплошь
Его от жизни в бронзу заковали.

Королева

Что я такого сделала, что ты
Так груб со мной?

Гамлет

        Вы сделали такое,
Что попирает нравственность и стыд,
Шельмует правду, выступает сыпью
На белом лбу нетронутой любви
И превращает брачные обеты
В торг игроков. Вы совершили то,
Что обездушивает соглашенья
И делает пустым набором слов
Обряды церкви. Небеса краснеют
И своды мира, хмурясь, смотрят вниз,
Как в Судный день, чуть вспомнят ваш поступок.

Королева

Нельзя ль узнать, в чем дела существо,
К которому так громко предисловье?

Гамлет

Вот два изображенья: вот и вот.
На этих двух портретах лица братьев.
Смотрите, сколько прелести в одном.
Лоб, как у Зевса, кудри Аполлона,
Взгляд Марса, гордый, наводящий страх,
Величие Меркурия, с посланьем
Слетающего наземь с облаков.
Собранье качеств, в каждом из которых
Печать какого-либо божества,
Как бы во славу человека. Это
Ваш первый муж. А это ваш второй,
Как колос, зараженный спорыньею,
В соседстве с чистым. Где у вас глаза?
Как вы спустились с этих горных пастбищ
К таким кормам? На что у вас глаза?
Ни слова про любовь. В лета, как ваши,
Живут не бурями, а головой.
А где та голова, что променяла б
Того на этого? Вы не без чувств,
А то б не шевелились. Значит, чувства —
В параличе. Ведь тут и маниак
Не мог бы просчитаться. Не бывает,
Чтоб и в бреду не оставался смысл
Таких различий. Так какой же дьявол
Средь бела дня вас в жмурки обыграл?
Глаза без осязанья, осязанье
Без глаз и слуха, слабый их намек,

Зачаток чувства не дали бы маху
Так очевидно.
Стыдливость, где ты? Искуситель-бес,
Когда ты так могуч во вдовьем теле,
Как девственности быть с ее огнем?
Пускай, как воск, растает. Нет позора
В разнузданности от избытка сил,
Когда и лед пылает, и рассудок
Дурманит волю.

Королева

Гамлет, перестань!
Ты повернул глаза зрачками в душу,
А там повсюду черные следы,
И нечем вывести.

Гамлет

Валяться в сале
Продавленной кровати, утопать
В испарине порока, целоваться
Среди навоза...

Королева

Гамлет, пощади!
Твои слова, как острия кинжалов,
И режут слух.

Гамлет

...с убийцей и скотом,
Не стоящим одной двухсотой доли
Того, что тот. С петрушкой в королях.
С карманником на царстве. Он завидел

Венец на полке, взял исподтишка
И вынес под полою.

Королева

       Гамлет, сжалься!

Гамлет

Со святочной игрушкою...

Входит Призрак.

Под ваши крылья, ангелы небес! —
Что вашей статной царственности надо?

Королева

О горе, с ним припадок!

Гамлет

Ленивца ль сына вы пришли журить,
Что дни идут, а он под злую руку
Приказов ваших страшных не свершил?
Не правда ли?

Призрак

Цель моего прихода — вдунуть жизнь
В твою почти остывшую готовность.
Но оглянись на мать. У ней столбняк.
Спаси ее от налетевших страхов.
Сильна их власть над слабыми душой.
Скажи ей что-нибудь.

Гамлет

       Что с вами, леди?

Королева

Нет, что с тобой? Ты смотришь в пустоту,
Толкуешь громко с воздухом бесплотным
И пялишь одичалые глаза.
Как сонные солдаты по сигналу,
Взлетают вверх концы твоих волос
И строятся навытяжку. О сын мой,
Огонь болезни надо остужать
Невозмутимостью. Чем полон взор твой?

Гамлет

Да им же, им! Смотрите, как он бел!
История его и эта бледность
Могли б растрогать камень. Отвернись.
Твои глаза мне душу раздирают.
Она слабеет и готова лить
Не кровь, а слезы.

Королева

    С кем ты рассуждаешь?

Гамлет

Как, вы не видите там ничего?

Королева

Нет. Только то, что видно.

Гамлет

      И ни слова
Не слышите?

Королева

   Лишь наши голоса.

Гамлет

Да вот же он! Туда, туда взгляните.
Отец мой, совершенно как живой.
Вы видите, скользит и в дверь уходит.

Королева

Все это плод твоей больной души.
По части духов белая горячка
Большой искусник.

Гамлет

    Белая горячка!
Мой пульс, как ваш, отсчитывает такт
И так же бодр. Нет нарушений смысла
В моих словах. Переспросите вновь, —
Я повторю их, а больной не мог бы.
Во имя Бога, бросьте ваш бальзам.
Не тешьтесь мыслью, будто все несчастье
Не в ваших шашнях, а в моей душе.
Такая мазь затянет рану коркой,
А скрытый гной вам выест все внутри.
Вам надо исповедаться. Покайтесь
В содеянном и берегитесь впредь.
Траву худую вырывают с корнем.
Прошу простить меня за правоту,
Как в наше время просит добродетель
Прощенья у порока за добро,
Которое она ему приносит.

Королева

Ах, Гамлет, сердце рвется пополам.

Гамлет

Вот и расстаньтесь с худшей половиной,
Чтоб пользоваться лучшей тем полней.
Спокойной ночи. Не ходите к дяде.
Нет совести — прикиньтесь, будто есть.
Привычка, этот враг живого чувства,
Кой в чем и друг. В личине доброты
Мы можем сами пристраститься к благу,
Разнашивая нравственный уклад,
Как новый плащ. Сегодня воздержитесь,
И завтра будет легче устоять,
И что ни ночь, то легче все и легче.
Повторность изменяет лик вещей.
Чертей смиряют или изгоняют.
Еще раз доброй ночи. А когда
Вы сами пожелаете блаженства,
Меня благословите. А о нем,

(показывает на Полония)

О человеке этом, сожалею.
Но, видно, так судили небеса,
Чтоб он был мной, а я был им наказан,
И стал бы их карающей рукой.
Я тело уберу и сам отвечу
За эту кровь. Еще раз — добрый сон.
Из жалости я должен быть суровым.
Несчастья начались, готовьтесь к новым.
Еще два слова.

Королева

          Что ж теперь мне делать?

135

Гамлет

О, лишь не то, что я сейчас скажу.
Поддайтесь королю, в постель юркните,
Подставьте щечку, дайте мышкой звать
И в благодарность за его лобзанья,
Которыми он будет вас душить,
В приливе откровенности признайтесь,
Что не сошел с ума я, но блажу
Для видимости. Правда, проболтайтесь!
К лицу ли королеве-красоте
Скрывать от упыря, кота и жабы
Такие вещи? Нет. Наоборот.
Всему назло взберитесь с птичьей клеткой,
Как обезьяна в басне, на чердак,
Пустите птиц и, в подражанье стае,
Из любопытства выпрыгните вниз
И, пробуя летать, сломайте шею.

Королева

Верь, если слово заключает вздох,
А вздохи — жизнь, я задохнусь скорее,
Чем выдам то, что ты сказал.

Гамлет

                         Меня
Шлют в Англию, слыхали?

Королева

                        Да, к несчастью.
Я и забыла. Это решено.

Гамлет

Скрепляют грамоты. Два школьных друга,
По верности не лучше двух гадюк,

Везут пакет и стелют мне дорогу
К расставленным сетям. Пускай, пускай.
Забавно будет, если сам подрывник
Взлетит на воздух. Я под их подкоп,
Будь я неладен, вроюсь ярдом глубже
И их взорву. Ну и переполох,
Когда подвох наткнется на подвох! —
Вот мне кого бы сбыть теперь подальше.
Стащу-ка в сени эти потроха.
Итак, спокойной ночи. А советник,
Действительно, и присмирел и строг,
А в жизни был болтливее сорок. —
Ну, милый мой, пора о вас подумать. —
Спокойной ночи, матушка.

Расходятся врозь, Гамлет — волоча Полония.

АКТ ЧЕТВЕРТЫЙ

СЦЕНА ПЕРВАЯ

Эльсинор. Комната в замке.

Входят к о р о л ь, к о р о л е в а, Р о з е н к р а н ц
и Г и л ь д е н с т е р н.

К о р о л ь

В глубоких этих вздохах что-то есть.
Нельзя ли выразить их попонятней?
Где сын ваш?

К о р о л е в а

Оставьте нас на несколько минут.

Р о з е н к р а н ц и Г и л ь д е н с т е р н уходят.

О, что сейчас случилось!

К о р о л ь

                              Что, Гертруда?
Как Гамлет?

К о р о л е в а

                    Рвет и мечет, как прибой,
Когда он с ветром спорит, кто сильнее.
В бреду услышал шорох за ковром

И с криком «крысы!», выхватив рапиру,
Прокалывает насмерть старика,
Стоявшего в засаде.

Король

      Быть не может!
Так было б с нами, очутись мы там.
Что он на воле — вечная опасность
Для вас, для нас, для каждого, для всех.
А кто теперь в ответе за убийство?
Увы, я сам, чья бдительность могла
Взять бедного страдальца под опеку
И удалить. Всему виной любовь.
Она лишила нас благоразумья.
Мы скрыли, как постыдную болезнь,
Семейное несчастье и загнали
Заразу внутрь. Куда девался он?

Королева

Пошел куда-то с телом бедной жертвы.
Сквозь порчу проглянула в нем душа,
Как золото сквозь слой чужой породы.
Он плачет о случившемся навзрыд.

Король

Пойдем, Гертруда. Не успеет солнце
Коснуться гор, он сядет на корабль.
А эту гнусность как-нибудь придется
Самим потом загладить. — Гильденстерн!

Возвращаются Розенкранц и Гильденстерн.

Кого-нибудь возьмите на подмогу!
В горячке принц Полония убил.

Труп вынесен из спальни королевы.
Не раздражая, надо отобрать
И отнести в часовню. Поспешите.

Розенкранц и Гильденстерн уходят.

Пойдем, Гертруда, соберем друзей,
Расскажем им про новости и планы.
Шипенье ядовитой клеветы,
Несущее сквозь поперечник мира,
Как пушечный снаряд, свое ядро,
С их помощью, быть может, нас минует,
Ударив в воздух. Будь со мной, жена.
Душа в тревоге и устрашена.

Уходят.

СЦЕНА ВТОРАЯ

Там же. Другая комната в замке.
Входит Гамлет.

Гамлет

Сдан в целости на место.

Розенкранц и Гильденстерн
(за сценой)

Гамлет! Гамлет!

Гамлет

Откуда шум? Кто Гамлета зовет?
А, вот они.

Входят Розенкранц и Гильденстерн.

Розенкранц

Милорд, что сделали вы с мертвым телом?

Гамлет

Смешал с землей, которой труп сродни.

Розенкранц

Скажите, где он, мы снесем в часовню.

Гамлет

Об этом бросьте даже помышлять.

Розенкранц

О чем?

Гамлет

Что я буду действовать в ваших интересах, а не в своих. Да и что это еще за расспросы со стороны какой-то губки? Что отвечать на них сыну короля?

Розенкранц

Вы меня сравниваете с губкою, принц?

Гамлет

Да, вас. С губкою, живущей соками царских милостей, наград и попущений. Но на поверку это его лучшие слуги. Король закладывает их за щеку, как обезьяна. Сует в рот первыми, а проглатывает последними. Понадобится то, чего вы насосались, он взял, выдавил вас, и снова вы сухи для новой службы.

Розенкранц

Я вас не понимаю, принц.

Гамлет

Это меня радует. В уме нечутком не место шуткам.

Розенкранц

Милорд, вы должны сказать нам, где тело, и пойти с нами к королю.

Гамлет

Тело во владении короля, но король не во владении телом. Да и какую роль играет тут король?

Гильденстерн

А что же, принц?

Гамлет

Не более, чем ноль. Ведите меня к нему. Гуси, гуси, домой, волк за горой.

Уходят.

СЦЕНА ТРЕТЬЯ

Там же. Другая комната в замке.

Входит король со свитой.

Король

За ним пошли. Труп велено найти.
Вот как опасен он, пока на воле.

Сурово с ним расправиться нельзя.
К нему привязано простонародье,
Где судят всё на глаз, а не умом.
Там видят только кару, а не смотрят,
За что она. Для гладкости отъезд
Изобразим служебным назначеньем,
Давно решенным. Сильную болезнь
Врачуют сильно действующим средством.

Входит Розенкранц.

Ну как у вас там? Что произошло?

Розенкранц

Где тело, невозможно доискаться.

Король

А сам он где?

Розенкранц

За дверью, государь.
Впредь до распоряженья под надзором.

Король

Ну что ж, введите принца.

Розенкранц

Гильденстерн!
Введите принца.

Входят Гамлет и Гильденстерн.

Король

Гамлет, где Полоний?

Гамлет

На ужине.

Король

На ужине? Каком?

Гамлет

Не там, где ест он, а где едят его самого. Сейчас за него уселся целый собор земских червей. Червь, что ни говори, единственный столп всякого чиноначалья. Мы откармливаем всякую живность на прокорм себе, и сами кормимся червям на выкорм. Возьмете ли толстяка-короля или худобу-горемыку, это только два блюда к столу, два сменных кушанья, а конец один.

Король

Увы! Увы!

Гамлет

Можно вытащить рыбу на червяка, который попользовался королем, и попользоваться рыбой, которая съела этого червяка.

Король

Что ты хочешь этим сказать?

Гамлет

Ничего, кроме того, что король может совершать внутренние объезды по кишкам нищего.

Король

Где Полоний?

Гамлет

На небе. Пошлите посмотреть. Если послан-
ный не найдет, поищите сами в другом месте. Во
всяком случае, если он не сыщется раньше месяца, вы носом почуете его у входа на галерею.

Король

(кое-кому из свиты)

Наведайтесь, где сказано.

Гамлет

Он вас терпеливо дождется.

Свитские уходят.

Король

Кровавая проделка эта, Гамлет,
Заставит нас для целости твоей
Молниеносно сбыть тебя отсюда.
Изволь спешить. Корабль у берегов,
Подул попутный ветер, и команда
Ждет не дождется в Англию отплыть.

Гамлет

Мы в Англию?

Король

Да, в Англию.

Гамлет

Прекрасно.

145

Король

Так ты б сказал, знай наши мысли ты.

Гамлет

Я вижу херувима, видящего их. — Ну что ж,
едем в Англию! — Прощайте, дорогая матушка.

Король

Дорогой отец, хочешь ты сказать, Гамлет?

Гамлет

Нет, — мать. Отец и мать — муж и жена, а муж и
жена — это плоть едина, значит, все равно: прощайте, матушка. — Значит, в Англию, вот как! *(Уходит.)*

Король

Догнать его. Сейчас же на корабль.
Чтоб духу не было его сегодня.
Прощайте. Все изложено в письме.
Формальности в порядке. Торопитесь.

Розенкранц и Гильденстерн уходят.

И если, Англия, мою любовь
Ты ценишь так, как я заставить в силе, —
А твой рубец от датского меча
Еще горит, и ты благоговейно
Нам платишь дань, — не думай обойти
Прямую букву моего приказа,
Которым тайно Гамлета тебе
Я в руки отдаю на убиенье.
Исполни это, Англия! Как жар
Горячки, он в крови моей клокочет.

Избавь меня от этого огня.
И жизнь не в жизнь и свет не для меня.

(Уходит.)

СЦЕНА ЧЕТВЕРТАЯ

Равнина в Дании.
Входят Фортинбрас, капитан и войско
в походе.

Фортинбрас

Шлю вас с поклоном к королю датчан.
Скажите, капитан, что по трактату
Страну пересекает Фортинбрас.
Где сборный пункт, вы знаете. Прибавьте,
Что, если бы явилась в нас нужда,
Мы тут как тут по первому желанью.
Прощайте.

Капитан

Добрый путь.

Фортинбрас

Отряд, вперед!

Фортинбрас с войском уходит.
Входят Гамлет, Розенкранц, Гильденстерн
и другие.

Гамлет

Чье это войско?

Капитан

Армия норвежцев.

Гамлет

Куда поход?

Капитан

На Польшу.

Гамлет

                  Кто их вождь?

Капитан

Принц Фортинбрас, племянник королевский.

Гамлет

Вы движетесь к границе или внутрь?

Капитан

Сказать по правде, мы идем отторгнуть
Невзрачный кус, в котором барыша —
Лишь званье, что земля. Пяти дукатов
Я б не дал за аренду, да и тех
Не выручить Норвегии и Польше,
Пусти они в продажу этот клад.

Гамлет

Какой полякам смысл в его защите?

Капитан

Туда уж стянут сильный гарнизон.

Гамлет

Двух тысяч душ, десятков тысяч денег
Не жалко за какой-то сена клок.
Так иногда среди благополучья

Людей здоровых постигает смерть
От внутреннего скрытого недуга. —
Покорнейше благодарю вас, сэр.

Капитан

Храни вас Бог.

(Уходит.)

Розенкранц

Милорд, пойдемте тоже.

Гамлет

Ступайте. Я вас тотчас догоню.

Все уходят, кроме Гамлета.

Все мне уликой служит, все торопит
Ускорить месть. Не велика цена
Того, единственные чьи желанья
Еда да сон. Он зверь — не человек.
Наверно, тот, кто создал нас с понятьем
О будущем и прошлом, дивный дар
Вложил не с тем, чтоб разум гнил без пользы.
Что тут виной? Забывчивость скота,
Или привычка разбирать поступки
До мелочей, — такой разбор всегда
На четверть — мысль, а на три прочих —
                                   трусость, —
Что ж медлю я и без конца твержу
О надобности мести, если к делу
Есть воля, сила, право и предлог?
Нелепость эту только оттеняет
Все, что ни встречу. Например, ряды
Такого ополченья, под командой

Изнеженного принца, гордеца
До кончиков ногтей. В мечтах о славе
Он рвется к сече, смерти и судьбе
И жизнью рад пожертвовать, а дело
Не стоит выеденного яйца.
Но тот-то и велик, кто без причины
Не ступит шага, если ж в деле честь,
Подымет драку за пучок соломы.
Отец убит, и мать осквернена,
И сердце пышет злобой: вот и время
Зевать по сторонам и со стыдом
Смотреть на двадцать тысяч обреченных,
Готовых лечь в могилу, как в постель.
Издалека их гонит призрак славы
В борьбу за землю, где не разместить
Дерущихся и не зарыть убитых.
О мысль моя, отныне будь в крови.
Живи грозой иль вовсе не живи.

(Уходит.)

СЦЕНА ПЯТАЯ

Комната в замке

Входят королева и Горацио.

Королева

Я не приму ее.

Горацио

Она шумит,
И в самом деле, видно, повредилась.
Посожалейте.

Королева

Что такое с ней?

Горацио

Отцом все время бредит, обвиняет
Весь свет во лжи, себя колотит в грудь,
Без основанья злится и лепечет
Бессмыслицу. В ее речах сумбур,
Но кто услышит, для того находка.
Из этих фраз, ужимок и кивков
Выуживает каждый по желанью,
Что дело дрянь, нет дыма без огня,
И здесь следы какой-то страшной тайны.

Королева

Я лучше свижусь с ней. В умах врагов
Не трудно ей посеять подозренья.
Пускай войдет.

Горацио уходит.

Больной душе и совести усталой
Во всем мерещится беды начало.
Так именно утайками вина
Разоблачать себя осуждена.

Возвращается Горацио с Офелией.

Офелия

Где Дании краса и королева?

Королева

Что вам, Офелия?

Офелия

(поет)

А по чем я отличу
Вашего дружка?
Шлык паломника на нем,
Странника клюка.

Королева

Голубушка, что значит эта песня?

Офелия

Да ну вас, вот я дальше вам спою.

(Поет.)

Помер, леди, помер он,
Помер, только слег,
В головах зеленый дрок,
Камушек у ног.

Королева

Послушайте, Офелия...

Офелия

                    Да ну вас...

Входит король.

Королева

Вот горе-то, взгляните на нее.

Офелия

Белый саван, белых роз
Деревцо в цвету,

И лицо поднять от слез
Мне невмоготу.

Король

Как вам живется, милочка моя?

Офелия

Хорошо, награди вас Бог. Говорят, сова была раньше дочкой пекаря. Вот и знай после этого, что нас ожидает. Благослови Бог вашу трапезу.

Король
(в сторону)

Воображаемый разговор с отцом.

Офелия

Об этом не надо распространяться. Но если бы вас спросили, что это значит, скажите:

(Поет.)

С рассвета в Валентинов день
Я проберусь к дверям
И у окна согласье дам
Быть Валентиной вам.
Он встал, оделся, отпер дверь,
И из его хором
Вернулась девушка в свой дом
Не девушкой потом.

Король

Офелия родная!

Офелия

Вот, не побожась, сейчас кончу.

(Поет.)

Какая гадость, сладу нет!
Стоит покуда свет,
Вот так и будут делать вред
По молодости лет?
Пред тем, как с ног меня валить,
Просили вы руки...

А он отвечает:

И обошелся б по-людски,
Не будь вы так легки.

Король

Давно это с ней?

Офелия

Надеюсь, все к лучшему. Надо быть терпеливой. Но не могу не плакать, как подумаю, что его положили в сырую землю. Надо известить брата. Спасибо за доброе участие. — Поворачивай, моя карета! Покойной ночи, леди. Покойной ночи, дорогие леди. Покойной ночи. Покойной ночи. *(Уходит.)*

Король

Скорее вслед. Смотреть за нею в оба.

Горацио уходит.

Вот яд глубокой скорби. Вся беда
В ее отца кончине. Ах, Гертруда,

Повадятся печали, так идут
Не врозь, а валом. Главные несчастья —
Ее отец и ваш изгнанник-сын,
Кругом повинный в ссылке на чужбину.
Затем народ. Вся муть всплыла со дна,
И все рядит и судит о кончине
Полония. Напрасно мы его
Зарыли втихомолку. Третье горе —
Офелия в той спячке чувств, когда
Мы лишь изображенья или звери.
Но верх всего: из Франции тайком
Лаэрт приехал, держится поодаль,
Живет молвой и верит болтунам,
А те ему все уши прожужжали
Про смерть отца. Виновных не найти,
Так всё на нас и свалят. Эти страхи
Меня, Гертруда, стерегут везде
И подсекают, как осколки ядер.

Шум за сценой.

Королева

Что это там за шум?

Король

Швейцарцы где?
Пусть двери охраняют.

Входит придворный.

Что случилось?

Придворный

Спасайтесь, государь. Морской прилив,
Размыв плотины, заливает берег

Не шибче, чем с толпой бунтовщиков
Лаэрт разоружает вашу стражу.
Чернь за него. И будто бы до них
Не знали жизни, не было порядка
И старины, оплота общих чувств,
Они кричат: «Короновать Лаэрта!
Да здравствует Лаэрт!» — и в честь его
Кидают шапки вверх и бьют в ладоши.

КОРОЛЕВА

Обрадовались, перепутав след!
Назад! Ошиблись, датские собаки.

Шум за сценой.

КОРОЛЬ

Дверь взломана.

Входит вооруженный Лаэрт, за ним датчане.

ЛАЭРТ

Где он, король? — Уйдите, господа.

ДАТЧАНЕ

Нет, мы войдем.

ЛАЭРТ

Прошу вас выйти в сени.

ДАТЧАНЕ

Да ладно, ладно уж.

(Уходят за дверь.)

Лаэрт

Благодарю.
Займите вход. — Итак, король презренный,
Где мой отец?

Королева

Спокойнее, Лаэрт.

Лаэрт

Найдись во мне спокойствия хоть капля,
И я — внебрачный сын, отец — рогач,
А мать моя безгрешная достойна
Клейма гулящей здесь, между бровей.

Король

Лаэрт, что значит этот бунт гигантов?
Оставь, Гертруда, он ведь без вреда.
Власть короля в такой ограде Божьей,
Что сколько враг на нас ни посягай,
Руками не достать. — Итак, признайся,
Откуда это бешенство, Лаэрт?
Ну что же, отвечай. — Оставь, Гертруда.

Лаэрт

Где мой отец?

Король

В гробу.

Королева

Но не король
Тому виной.

Король

Пусть спрашивает вволю.

Лаэрт

Как умер он? Но за нос не водить!
Я рву все связи и топчу присягу,
И долг дворянский шлю ко всем чертям.
Возмездьем не пугайте. Верьте слову:
Что тот, что этот свет, мне все равно.
Но, будь что будет, за отца родного
Я отомщу!

Король

      А кто вам запретит?

Лаэрт

Никто, когда моя на это воля,
А средства, — обойдусь и тем, что есть.
Не беспокойтесь.

Король

        Вы б узнать желали
Всю подноготную про смерть отца?
А вдруг, узнав, вы в ослепленье мести
Сметете разом, точно кучу карт,
Врага и друга, правых и неправых?

Лаэрт

Нет, лишь врагов.

Король

       Вы их хотите знать?

Лаэрт

Да. А друзьям открою я объятья
И кровь свою с готовностью пролью,
Как пеликан.

Король

Теперь вы говорите,
Как добрый сын и верный дворянин.
Что я в утрате вашей неповинен
И сам скорблю, вам станет дня ясней.

Датчане
(за сценой)

Дорогу ей!

Лаэрт

Что там за суматоха?

Возвращается Офелия.

Гнев, иссуши мой мозг! Соль слез моих,
В семь раз сгустясь, мне оба глаза выжги!
Свидетель Бог, я полностью воздам
За твой угасший разум. Роза мая!
Дитя мое, Офелия, сестра!
Где видано, чтоб девушки рассудок
Был ненадежней жизни старика?
Любовь способна по природе к жертвам
И расстается с самым дорогим
Для дорогих.

Офелия
(поет)

Без крышки гроб его несли,
Скок-скок со всех ног,
Ручьями слезы в гроб текли.
Прощай, мой голубок.

Лаэрт

Будь ты в уме и добивайся мщенья,
Ты б не могла так тронуть.

Офелия

А вы подхватывайте: «Скок в яму, скок со дна, не сломай веретена. Крутись, крутись, прялица, пока не развалится». Это вор-ключник, увезший хозяйскую дочь.

Лаэрт

Набор слов почище иного смысла.

Офелия

Вот розмарин, это для памятливости: возьмите, дружок, и помните. А это анютины глазки: это чтоб думать.

Лаэрт

Изреченья безумья: память и мысль неотделимы.

Офелия

Вот укроп для вас, вот водосбор. Вот рута. Вот несколько стебельков для меня. Ее можно также звать богородичной травой. В отличье от моей носите свою как-нибудь по-другому. Вот ромашка. Я было хотела дать вам фиалок, но все они завяли, когда умер мой отец. Говорят, у него был легкий конец.

(Поет.)

Но Робин родной мой — вся радость моя.

Лаэрт

Тоске и страсти и кромешной тьме
Она очарованье сообщает.

Офелия

(поет)

Неужто он не придет?
Неужто он не придет?
Нет, помер он
И погребен.
И за тобой черед.
А были снежной белизны
Его седин волнистых льны.
Но помер он,
И вот
За упокой его души
Молиться мы должны.

И за все души христианские, Господи, поми-
луй! — Ну, храни вас Бог. *(Уходит.)*

Лаэрт

Видали? Боже!

Король

Слушайте, Лаэрт.
Поверьте в живость моего участья
И дайте оправдаться. Из друзей
Подите выберите самых умных,
Пусть, выслушав, они рассудят нас.
Когда бы против нас нашлись улики,
Прямые или косвенные, мы

Корону, царство, жизнь и все, что наше,
Даем вам в возмещенье. Если ж нет,
Извольте уделить нам миг терпенья,
И мы в союзе с вашею душой
Добьемся удовлетворенья.

Лаэрт

                              Ладно.
Загадка смерти, тайна похорон,
Отсутствие герба и шпаг над прахом,
Обход обрядов, нарушенье форм —
Все это вопиет с небес на землю
И ждет разбора.

Король

                              И его найдет.
А виноватого — на эшафот.
Пожалуйте.

(Уходит.)

СЦЕНА ШЕСТАЯ

Там же. Другая комната в замке.
Входят Горацио и слуга.

Горацио

Кто хочет говорить со мной?

Слуга

                              Матросы.
У них к вам письма, говорят.

Горацио

Прошу. —
Ума не приложу, кто и откуда
Мне мог бы, кроме Гамлета, писать.

Входят матросы.

Первый матрос

Бог в помощь, сэр.

Горацио

Дай Бог тебе здоровья.

Первый матрос

Была б Его воля, а мы не откажемся. — Вот письмо для вас, сэр. Оно от посланника с корабля, шедшего в Англию, — если ваше имя Горацио, как мне сказали.

Горацио
(читает)

«Горацио, по прочтении сего устрой, чтобы эти люди попали как-нибудь к королю. У них есть письма к нему. Не были мы и двух дней в море, как сильно вооруженный корсар погнался за нами. Уступая им в скорости, мы их атаковали с вынужденной отвагой. При абордаже я перескочил к ним на борт. Но в этот миг корабли расцепились, и таким образом я очутился у них единственным пленником. Они обошлись со мной как милосердные разбойники. Однако они ведали, что творили. За это я должен буду сослужить им службу. Доставь королю приложенные письма и поспеши ко мне, как бежал бы от смерти. Я тебе скажу на ухо несколько слов, от которых ты онемеешь, хотя им далеко до всей истины. Эти добряки доставят тебя к месту моего нахождения. Розенкранц и Гильденстерн продолжают путь в Англию. О них тоже много расскажу тебе. Прощай. Твой, в чем ты не сомневаешься, Гамлет».

Пойдем, сдадим оставшиеся письма
И поспешим к тому, кто их послал.

Уходят.

СЦЕНА СЕДЬМАЯ

Там же. Другая комната в замке.
Входят король и Лаэрт.

Король

Теперь ваш долг принять меня в друзья
И в сердце подписать мне оправданье.
Вы видите, тот самый человек,
Который вас лишил отца, пытался
Убить меня.

Лаэрт

Я вижу. Отчего ж
Не нарядили следствия по делу
Такой великой важности, в обход
Понятьям безопасности и права?

Король

Причины две, на ваш, наверно, взгляд
Пустых, а для меня особо веских.

Лишь им и дышит королева-мать.
А хорошо ли, плохо ль — ваше дело,
Но нас с женой водой не разольешь:
Душой и телом, как звезда с орбитой.
Другое основанье, отчего
Не предал я суду его открыто, —
Привязанность к нему простых людей.
Его ошибки возведут в заслуги.
Народ, как соль чудесного ключа,
Который ветку обращает в камень.
Стихию эту лучше не дразнить,
А то поднявшийся ответный ветер
Вернет мне стрелы острием назад.

Лаэрт

Итак, забыть про смерть отца и ужас,
Нависший над сестрою? А меж тем —
Хоть дела не воротишь похвалами —
Она легко затмила б этот век.
Нет, месть моя придет.

Король

Не беспокойтесь.
Вы думаете, я такой чурбан,
Что, собственной опасности не видя,
Я за́ бороду дам себя хватать?
Потом поймете прочее. Отец ваш
Был другом мне, и я не враг себе,
И этого, я думаю, довольно...

Входит вестовой с письмом.

Ну? Что еще там?

Вестовой

> Письма, государь.
> От Гамлета. Вот вам, вот королеве.

Король

От Гамлета? Кто подал?

Вестовой

> Говорят,
> Какие-то матросы. Я не видел.
> Мне Клавдио их дал, а у него —
> Из первых рук.

Король

> Лаэрт, хотите слушать?
> Я вам прочту. — Ступайте.

Вестовой уходит.

(Читает.)

«Великий и могущественный, узнайте, что я голым высажен на берег вашего королевства. Завтра я буду просить разрешения предстать пред ваши королевские очи, чтобы, заручившись вперед вашим благоволеньем, изложить обстоятельства моего внезапного и еще более странного возвращения. Гамлет».

> Что это значит? Все ли возвратились?
> Иль это ложь и все идет на лад?

Лаэрт

Верна ли подпись?

Король

        Точный почерк принца.
Вот это «голым» и внизу: «Один»
В приписке. Что вы скажете на это?

Лаэрт

Не знаю сам. Но встретиться хочу.
Мне легче на душе от предвкушенья
Того, что я швырну ему в лицо.

Король

Но если так, за чем же дело стало?
Раз так, то все улажено, Лаэрт.
Я буду направлять вас.

Лаэрт

        Направляйте.
Но только не старайтесь помирить.

Король

Какой там мир! Напротив. Он вернулся,
И вновь его так просто не ушлешь.
Поэтому я новое придумал.
Я так его заставлю рисковать,
Что он погибнет сам по доброй воле.
Его конец не поразит молвы,
И даже мать, не заподозрив козней,
Во всем увидит случай.

Лаэрт

        Государь,
Скажу тем тверже: управляйте мною,
Я буду вам орудьем.

Король

Все к тому.
В отлучку вашу вас не забывали.
При Гамлете хвалили вас за то,
Чем вы сильны, и вот, из всех отличий
Завидовал он только вам в одном,
Хотя оно не кажется мне главным.

Лаэрт

И это?..

Король

Бант на шляпе молодца,
Хоть и уместный. В молодости носят
Небрежно легкий плащ. А пожилой
Заботу о здоровье облекает
В сукно и мех. Два месяца назад
Здесь был нормандский дворянин. Я видел
Французов и сражался против них.
Им равных нет в езде верхом. Но этот
Был чародей. Он прирастал к седлу
И достигал с конем такой сноровки,
Как будто был до половины слит
С четвероногим. И во сне не снится,
Словами не сказать, что он творил!
Непостижимо!

Лаэрт

Это был нормандец?

Король

Нормандец.

Лаэрт

Так порукой жизнь — Ламонд.

Король

Он самый.

Лаэрт

Как не знать: алмаз известный,
Цвет всей страны.

Король

Он знает вас, сказал,
И с похвалой большою отзывался
О вашем фехтовальном мастерстве,
Особенно о бое на рапирах,
Где вам, как уверял он, равных нет.
Он говорил — их первые задиры
Теряют глаз, расчет и быстроту
При встрече с вами. Этот отзыв поднял
Такую зависть в Гамлете, что он
Лишь спал и видел, как бы вас дождаться
И упросить, чтоб вы побились с ним.
Вот и предлог.

Лаэрт

Предлог? Не понимаю.
Предлог к чему?

Король

Скажите мне, Лаэрт,
Вы чтите не шутя отцову память,
Иль, как со скорби писанный портрет,
Вы лик без жизни?

Лаэрт

Странные расспросы.

Король

Кто отрицает в вас любовь к отцу?
Но всякую любовь рождает время,
И время же, как подтверждает жизнь,
Решает, искра это или пламя.
В самом огне любви есть вещество,
Которое и гаснет от нагару.
Непостоянна качеств полнота
И погибает от переполненья.
Что хочется, то надо исполнять,
Пока не расхотелось: у хотенья
Не меньше дел и перемен на дню,
Чем рук и планов и голов на свете.
Когда же поздно, нечего вздыхать.
Как слезы с перепою эти вздохи.
Итак, здесь Гамлет. Чем, помимо слов,
Докажете вы связь с отцом на деле?

Лаэрт

Увижу в церкви, глотку перерву.

Король

Конечно, для убийцы нет святыни,
И месть границ не знает. Но тогда,
Мой дорогой, сидите лучше дома.
Про ваш приезд узнает Гамлет сам,
На всех углах вас будут славословить
Вслед за французом. Вас сведут вдвоем.
За вас обоих выставят заклады.

Как человек беспечный и прямой
И чуждый ухищрений, он не станет
Рассматривать рапир, и вы легко,
Чуть изловчась, подмените тупую,
С предохраненьем, голой боевой
И за отца сквитаетесь.

Лаэрт

Отлично.
Кой-чем вдобавок смажу острие.
Я как-то мазь купил такого свойства,
Что если смазать нож и невзначай
Порезать палец, каждый умирает,
И не спасти травою никакой,
С заклятьем припасенной ночью лунной.
Я этим ядом вымажу клинок.
Его довольно будет оцарапать,
И он погиб.

Король

Обдумаем полней,
Какие могут ждать нас вероятья.
Допустим, план наш белой ниткой шит
И рухнет или выйдет весь наружу.
Как быть тогда? Нам надобно взамен
Иметь другое что-нибудь в запасе.
Постойте, я смекну. — Готово, есть.
Ага, мы ставим ценные заклады...
Так, так.
Когда вы разгоритесь от борьбы —
Для этого я б участил атаки, —
На случай, если б попросил он пить,
Поставлю кубок. Только он пригубит,

171

Ему конец, хотя б он уцелел
От смертоносной раны. — Что за крики?

Входит королева.

А, королева!

Королева

Несчастье за несчастием, Лаэрт.
Сестра, мой милый, ваша утонула.

Лаэрт

Как, утонула? Где? Не может быть!

Королева

Над речкой ива свесила седую
Листву в поток. Сюда она пришла
Гирлянды плесть из лютика, крапивы,
Купав и цвета с красным хохолком,
Который пастухи зовут так грубо,
А девушки — ногтями мертвеца.
Ей травами увить хотелось иву,
Взялась за сук, а он и подломись,
И, как была, с копной цветных трофеев
Она в поток обрушилась. Сперва
Ее держало платье, раздуваясь,
И, как русалку, поверху несло.
Она из старых песен что-то пела,
Как бы не ведая своей беды
Или как существо речной породы.
Но долго это длиться не могло,
И вымокшее платье потащило
Ее с высот мелодии на дно,
В муть смерти.

Лаэрт

Утонула!..

Королева

Утонула.

Лаэрт

Офелия, довольно вкруг тебя
Воды, чтоб доливать ее слезами.
Но как сдержать их? Несмотря на стыд,
Природа льет их. Ими вон исходит
Все бабье в нас. Прощайте, государь.
В душе пожар, а эта дурья слабость
Мне портит все.

(Уходит.)

Король

      Гертруда, сколько сил
Потратил я, чтоб гнев его умерить.
Теперь, боюсь, он разгорится вновь.
Пойдем за ним.

Уходят.

АКТ ПЯТЫЙ

СЦЕНА ПЕРВАЯ

Эльсинор. Кладбище.

Входят два могильщика с лопатами.

Первый могильщик

А правильно ли хоронить по-христиански, которая самовольно добивалась вечного блаженства?

Второй могильщик

Стало быть, правильно. Ты и копай ей живей могилу. Ее показывали следователю и постановили, чтобы по-христиански.

Первый могильщик

Статочное ли дело? Добро бы она утопилась в состоянии самозащиты.

Второй могильщик

Состояние и постановили.

Первый могильщик

Состояние надо доказать. Без него не закон. Скажем, я теперь утоплюсь с намереньем. Тогда это дело троякое. Одно — я его сделал, другое — привел в исполнение, третье — совершил. С намерением она, значит, и утопилась.

Второй могильщик

Ишь ты как, кум гробокопатель...

Первый могильщик

Нет, без смеху. Вот тебе, скажем, вода. Хорошо. Вот, скажем, человек. Хорошо. Вот, скажем, идет человек к воде и топится. Хочешь не хочешь, а он идет, вот в чем суть. Другой разговор — вода. Ежели найдет на него вода и потопит, он своему концу сторона. Стало быть, кто в своей смерти неповинен, тот своей жизни не губил.

Второй могильщик

Это по какой же статье?

Первый могильщик

О сысках и следствиях.

Второй могильщик

Хочешь знать правду? Не будь она дворянкой, не видать бы ей христианского погребенья.

Первый могильщик

Твоя правда. То-то и обидно. Чистая публика топись и вешайся сколько душе угодно, а наш брат прочий верующий и не помышляй. Ну да ладно. Пора за лопату. А насчет дворян — нет стариннее, чем садовники, землекопы и могильщики. Их звание от самого Адама.

175

Второй могильщик

Разве он был дворянин?

Первый могильщик

Он первый носил ручное оружие.

Второй могильщик

Полно молоть, ничего он не носил.

Первый могильщик

Да ты язычник, что ли? Как ты понимаешь Священное Писание? В Писании сказано: «Адам копал землю». Что ж, он копал ее голыми руками? Ну вот тебе еще вопрос. Только ты отвечай впопад, а то смотри...

Второй могильщик

Валяй спрашивай.

Первый могильщик

Кто строит крепче каменщика, корабельного мастера и плотника?

Второй могильщик

Строитель виселиц. Это помещение перестаивает всех нахлебников.

Первый могильщик

Ей-богу, умница. Виселица — это хорошо. Но только смотря для кого. Хорошо для того, чье дело плохо. Ты сказал плохо, будто виселица крепче церкви. Вот виселица для тебя и хороша. Давай сначала, только теперь спрашивай ты.

Второй могильщик

Кто строит крепче каменщика, корабельного мастера и плотника?

Первый могильщик

Вот и говори кто, и отвяжись.

Второй могильщик

А вот и скажу.

Первый могильщик

Ну?

Второй могильщик

Не могу знать кто.

Входят Гамлет и Горацио и останавливаются в отдалении.

Первый могильщик

Не надсаживай себе этим мозгов. Сколько осла ни погоняй, он шибче не пойдет. В следующий раз, спросят тебя эту же вещь, — отвечай: могильщик. Его дома простоят до второго пришествия. Ну да ладно. Сбегай, брат, к Иогену и принеси-ка мне шкалик.

Второй могильщик уходит.

(Копает и поет.)

Не чаял в молодые дни
Я в девушках души

И думал, только тем они
Одним и хороши.

Гамлет

Неужели этот шутник не сознает рода своей работы, что поет за рытьем могилы?

Горацио

Привычка ее упростила.

Гамлет

Это естественно. Рука чувствительна, пока не натрудишь.

Первый могильщик
(поет)

Но тихо старость подошла
И за руку взяла,
И все умчалось без следа
Неведомо куда.

(Выбрасывает череп.)

Гамлет

В этом черепе был когда-то язык, он умел петь. А этот негодяй шмякнул его оземь, точно это челюсть Каина, который совершил первое убийство. Возможно, голова, с которою этот осел обходится так пренебрежительно, принадлежала какому-нибудь политику, который собирался перехитрить самого Господа Бога. Не правда ли?

Горацио

Возможно, милорд.

Гамлет

Или какому-нибудь придворному. Он говаривал: «С добрым утром, светлейший государь. Как изволите здравствовать?» Его звали князь такой-то и такой-то, и он нахваливал князю такому-то его лошадь, в надежде напроситься на подарок. Не правда ли?

Горацио

Правда, принц.

Гамлет

Да, вот именно. А теперь он угодил к Курносой, сам без челюстей, и церковный сторож бьет его по скулам лопатой. Поразительное превращенье, если б только можно было подсмотреть его тайну. Стоило ли давать этим костям воспитанье, чтобы потом играть ими в бабки? Мои начинают ныть при мысли об этом.

Первый могильщик
(поет)

Бери лопату и кирку,
И новый саван шей,
И рой могилу старику
На водворенье в ней.

(Выбрасывает другой череп.)

Гамлет

Вот еще один. Почему не быть ему черепом законника? Где теперь его крючки и извороты, его уловки и умствованья, его казуистика? Отчего принимает он подзатыльники заступом от этого грубияна и не привлекает его за оскорбленье действием? Гм! В свое время это мог быть крупный скупщик земель, погрязший в разных закладных, долговых обязательствах, судебных протоколах и актах о взысканье. В том ли пеня на пеню и взысканье по взысканью со всех его земельных оборотов, что голова его пенится грязью и вся набита землей? Неужели все его поручительства, простые и двусторонние, обеспечили ему только надел величиной в одну купчую крепость на двух листах бумаги? Одни его передаточные записи едва ли улеглись бы на таком пространстве. А разве сам владелец не вправе разлечься попросторней?

Горацио

Нет, ни на одну пядь, милорд.

Гамлет

Кажется, ведь пергамент выделывают из бараньей кожи?

Горацио

Да, принц, а также из телячьей.

Гамлет

Ну так бараны и телята — те, кто ищет в этом обеспеченья. Я поговорю с этим малым. — Чья это могила, как тебя там?

Первый могильщик

Моя, сэр.

(Поет.)

И рой могилу старику
На водворенье в ней.

Гамлет

Верю, что твоя, потому что ты лжешь из могилы.

Первый могильщик

А вы — не из могилы. Стало быть, она не ваша. А я — в ней и, стало быть, не лгу.

Гамлет

Как же не лжешь? Торчишь в могиле и говоришь, что она твоя. А она для мертвых, а не для живых. Вот ты и лжешь, что в могиле.

Первый могильщик

Эта ложь в могиле не останется. Она оживет и уйдет от меня к вам.

Гамлет

Для какого мужа праведна ты ее роешь?

Первый могильщик

Ни для какого.

Гамлет

Тогда для какой женщины?

Первый могильщик

Тоже ни для какой.

Гамлет

Для кого же она предназначена?

Первый могильщик

Для особы, которая, сэр, была женщиной, ныне же, Царствие ей Небесное, преставилась.

Гамлет

До чего досконален, бездельник! С этим народом надо держать ухо востро, а то пропадешь от двусмыслиц. Клянусь Богом, Горацио, за последние три года я заметил: время так подвинулось, что мужики наступают дворянам на пятки. — Давно ли ты могильщиком?

Первый могильщик

Изо всех дней в году с того самого, как покойный король наш Гамлет одолел Фортинбраса.

Гамлет

Сколько же теперь этому?

Первый могильщик

Аль не знаете? Это всякий дурак знает. Это было как раз в тот день, когда родился молодой Гамлет, тот самый, что сошел теперь с ума и послан в Англию.

Гамлет

Вот те на. Зачем же его послали в Англию?

Первый могильщик

Как это зачем? За умом и послали. Пускай поправит. А не поправит, так там и это не беда.

Гамлет

То есть как это?

Первый могильщик

А так, что никто не заметит. Там все такие же сумасшедшие.

Гамлет

Каким образом он помешался?

Первый могильщик

Говорят, весьма странным.

Гамлет

Каким же именно?

Первый могильщик

А таким, что взял и потерял рассудок.

Гамлет

Да, но на какой почве?

Первый могильщик

Да все на той же, на нашей датской. Я здесь тридцать лет при погосте, с малолетства.

Гамлет

Много ли пролежит человек в земле, пока не сгниет?

Первый могильщик

Да как сказать. Если он не протухнет заживо,— сейчас пошел такой покойник, что едва дотягива-

ет до похорон, — то лет восемь-девять продержит-
ся. Кожевник, этот все девять с верностью.

Гамлет

Отчего же этот дольше других?

Первый могильщик

А видите, сударь, шкура-то у него так выдубле-
на промыслом, что долго устоит против воды.
А вода, будь вам ведомо, самый первый враг для
вашего брата покойника, как помрете. Вот, например, еще череп. Этот череп пролежал в земле двадцать три года.

Гамлет

Чей он?

Первый могильщик

Одного шалопая окаянного, лучше не говорить.
Чей бы вы думали?

Гамлет

Не знаю.

Первый могильщик

Чтоб ему пусто было, до чего это был чумовой
сорванец! Бутылку ренского вылил мне раз на голову, что вы скажете. Этот череп, сэр, это череп
Иорика, королевского скомороха.

Гамлет

Этот?

Первый могильщик

Этот самый.

Гамлет

Дай взгляну. (*Берет череп в руки.*) Бедняга Иорик! — Я знал его, Горацио. Это был человек бесконечного остроумия, неистощимый на выдумки. Он тысячу раз таскал меня на спине. А теперь это само отвращение и тошнотой подступает к горлу. Здесь должны были двигаться губы, которые я целовал не знаю сколько раз. — Где теперь твои каламбуры, твои смешные выходки, твои куплеты? Где взрывы твоего заразительного веселья, когда со смеху покатывался весь стол? Ничего в запасе, чтоб позубоскалить над собственной беззубостью? Полное расслабленье? Ну-ка, ступай в будуар великосветской женщины и скажи ей, какою она будет, несмотря на румяна в дюйм толщиною. Попробуй рассмешить ее этим пророчеством. — Скажи мне одну вещь, Горацио.

Горацио

Что именно, принц?

Гамлет

Как ты думаешь: Александр Македонский представлял в земле такое же зрелище?

Горацио

Да, в точности.

Гамлет

И так же вонял? Фу! (*Кладет череп наземь.*)

Горацио

Да, в точности, милорд.

Гамлет

До какого убожества можно опуститься, Горацио! Что мешает вообразить судьбу Александрова праха шаг за шагом, вплоть до последнего, когда он идет на затычку бочки?

Горацио

Это значило бы смотреть на вещи слишком предвзято.

Гамлет

Ничуть не бывало. Напротив, это значило бы почтительно следовать за предметом, подчиняясь вероятности. Примерно так: Александр умер, Александра похоронили, Александр стал прахом, прах — земля, из земли добывают глину. Почему глине, в которую он обратился, не оказаться в обмазке пивной бочки?

> Истлевшим Цезарем от стужи
> Заделывают дом снаружи.
> Пред кем весь мир лежал в пыли,
> Торчит затычкою в щели.
> Но тише! Станем дальше! Вон король.

Входит шествие со священником во главе, за которым следует тело Офелии, Лаэрт, провожатые, король, королева и их свита.

> Вон королева. Двор. Кого хоронят?
> Как искажен порядок! Это знак,

Что мы на проводах самоубийцы.
Какой-то знатный. Станем в стороне
И поглядим.

(Отходит с Горацио в сторону.)

Лаэрт

Что вы добавите из службы?

Гамлет

Вот благородный юноша Лаэрт.

Лаэрт

Что вы еще намерены добавить?

Священник

В предписанных границах свой устав
Мы уж и так расширили. Кончина
Ее темна и, не вмешайся власть,
Лежать бы ей в неосвященном месте
До гласа трубного. Взамен молитв
Ее сопровождал бы град каменьев.
А ей на гроб возложены венки,
И шли за нею с колокольным звоном
До изгороди.

Лаэрт

      Значит, это все,
Что в вашей власти?

Священник

         Да, мы отслужили.
Мы осквернили бы святой обряд,

Когда б над нею реквием пропели,
Как над другими.

Лаэрт

Опускайте гроб! —
Пусть из ее неоскверненной плоти
Взрастут фиалки! — Помни, грубый поп,
Сестра на небе ангелом зареет,
Когда ты в корчах взвоешь.

Гамлет

То есть как:
Офелия?!

Королева

(разбрасывая цветы)

Прекрасное прекрасной.
Спи с миром. Я тебя мечтала в дом
Ввести женою Гамлета. Мечтала
Покрыть цветами брачную постель,
А не могилу.

Лаэрт

Трижды тридцать казней
Свались втройне на голову того,
От чьих злодейств твой острый ум затмился.
Не надо. Погодите засыпать.
Еще раз заключу ее в объятья.

(Прыгает в могилу.)

Заваливайте мертвую с живым.
На ровном месте взгромоздите гору,

Которая превысит Пелион
И голубой Олимп.

Гамлет
(выступая вперед)

        Кто тут горюет
Так выспренно? Чьей жалобы раскат
В движенье останавливает звезды,
Как зрителей? К его услугам я,
Принц Гамлет Датский.

(Прыгает в могилу.)

Лаэрт
        Чтоб тебя, нечистый!

(Борется с ним.)

Гамлет
Учись молиться. Горла не дави.
Я не горяч, но я предупреждаю,
Отчаянное что-то есть во мне.
Ты, право, пожалеешь. Руки с горла!

Король
Разнять их!

Королева
Гамлет, Гамлет!

Все
        Господа!

Горацио

Принц, успокойтесь.

Их разнимают, и они выходят из могилы.

Гамлет

          За причину спора
Я с ним согласен драться до конца,
И не уймусь, пока мигают веки.

Королева

Какого спора, сын мой?

Гамлет

          Я любил
Офелию, и сорок тысяч братьев
И вся любовь их — не чета моей.
Скажи, на что ты в честь ее способен?

Король

Он вне себя.

Королева

          Не трогайте его.

Гамлет

Я знать хочу, на что бы ты пустился?
Рыдал? Рвал платье? Дрался? Голодал?
Пил уксус? Крокодилов ел? Все это
Могу и я. Ты слезы лить пришел?
В могилу прыгать мне на посмеянье?
Живьем зарытым быть? Могу и я.

Ты врал про горы? Миллионы акров
Нам на курган, чтоб солнце верх сожгло
И в бородавку превратилась Осса!
Ты думал глоткой взять? Могу и я.

Королева

Все это взрыв безумья. С ним припадок.
Немного переждать, и он опять
Притихнет, как голубка над птенцами,
И сложит крылья.

Гамлет

        Надо объяснить,
За что вы так со мной небрежны, сударь?
Ведь я любил вас. — Впрочем, все равно;
Хоть выбейся из силы Геркулес,
Как волка ни корми, он смотрит в лес.

(Уходит.)

Король

Побудьте с ним, пожалуйста, Гораций.

Горацио уходит.

(Лаэрту.)

Припомните вчерашний разговор
И потерпите. Все идет к развязке. —
Гертруда, пусть за принцем последят. —
Мы здесь живой ей памятник поставим.
Терпеть еще недолго. А потом
Зато тем безмятежнее вздохнем.

Уходят.

СЦЕНА ВТОРАЯ

Там же. Зал в замке.

Входят Гамлет и Горацио.

Гамлет

Как будто все. Два слова о другом.
Но хорошо ли помнишь ты событья?

Горацио

Еще бы, принц.

Гамлет

       Мне не давала спать
Какая-то борьба внутри. На койке
Мне было, как на нарах в кандалах.
Я быстро встал. Да здравствует поспешность!
Как часто нас спасала слепота,
Где дальновидность только подводила.
Есть, стало быть, на свете божество,
Устраивающее наши судьбы
По-своему.

Горацио

      На наше счастье, есть.

Гамлет

Я вышел из каюты. Плащ накинул,
Пошел искать их, шарю в темноте,
Беру у них пакет и возвращаюсь.
Храбрясь со страху и забывши стыд,
Срываю прикрепленные печати
И, венценосной подлости дивясь,

Читаю сам, Горацио, в приказе,
Какая я опасность и гроза
Для Дании и Англии. Другими
Словами: как, по вскрытии письма,
Необходимо, топора не правя,
Мне голову снести.

Горацио

Не может быть!

Гамлет

Вот предписанье. После прочитаешь.
Сказать ли, как я дальше поступил?

Горацио

Пожалуйста.

Гамлет

Опутанный сетями,
И роли я себе не подыскал —
Уж мысль играла. Новый текст составив,
Я начисто его переписал.
Когда-то я считал со всею знатью
Хороший почерк пошлою чертой
И сил не пожалел его испортить,
А как он выручил меня в беде!
Сказать, что написал я?

Горацио

О, конечно.

Гамлет

Устами короля указ гласил:
Ввиду того, что Англия наш данник,

И наша дружба пальмою цветет,
И нас сближает мир в венке пшеничном,
А также и ввиду других причин, —
Здесь следовало их перечисленье, —
Немедля по прочтении сего
Подателей означенной бумаги
Предать на месте смерти без суда
И покаянья.

Горацио

Где печать вы взяли?

Гамлет

Ах, мне и в этом небо помогло.
Со мной была отцовская, с которой
Теперешняя датская снята.
Я лист сложил, как тот, скрепил печатью
И положил за подписью назад,
Как тайно подмененного ребенка.
На следующий день был бой морской.
Что было дальше, хорошо известно.

Горацио

Так Гильденстерн и Розенкранц плывут
Себе на гибель?

Гамлет

Сами добивались.
Меня не мучит совесть. Их конец —
Награда за пронырство. Подчиненный
Не суйся между высшими в момент,
Когда они друг с другом сводят счеты.

Горацио

Каков король-то!

Гамлет

                    Вот и посуди,
Как я взбешен. Ему, как видишь, мало,
Убив отца и опозорив мать,
Быть мне преградой на пути к престолу.
Еще он должен удочку с крючком
На жизнь мою закидывать украдкой.
Так разве это не прямой мой долг
С ним рассчитаться этою рукою
И разве не позор давать вреду
Въедаться глубже?

Горацио

                    Скоро он узнает,
Что в Англии случилось.

Гамлет

                    А пока
Остаток дней в моем распоряженье.
Хоть человеческая жизнь и вся
Не долее, чем сосчитать до разу.
Но я стыжусь, Горацио, что так
С Лаэртом нашумел. В его несчастьях
Я вижу отражение своих
И помирюсь с ним. Но зачем наружу
Так громко выставлять свою печаль?
Я этим возмутился.

Горацио

                    Тише. Кто там?

Входит Озрик.

Озрик

Со счастливым возвращением в Данию, ваше высочество!

Гамлет

Благодарю покорно, сэр. *(Вполголоса Горацио.)* Знаешь ты эту мошку?

Горацио
(вполголоса Гамлету)

Нет, милорд.

Гамлет
(вполголоса Горацио)

Твое счастье. Знать его не заслуга. У него много земли, и вдобавок плодородной. Поставь скотину царем скотов — его ясли будут рядом с королевскими. Это сущая галка, но, как я сказал, по количеству грязи в ее владении — крупнопоместная.

Озрик

Милейший принц, если бы у вашего высочества нашлось время, я бы вам передал что-то от его величества.

Гамлет

Сэр, я это запечатлею глубоко в душе. Но пользуйтесь шляпой по назначенью. Ее место на голове.

Озрик

Ваше высочество, благодарю вас. Очень жарко.

Гамлет

Нет, поверьте, очень холодно. Ветер с севера.

Озрик

Действительно, несколько холодновато, ваша правда.

Гамлет

И все же, я бы сказал, страшная жара и духота для моей комплекции.

Озрик

Принц, — неописуемая. Такая духота, что просто не подберу слов. Однако, принц, по приказу его величества довожу до вашего сведения, что он держит за вас пари на большую сумму.

Гамлет

Тем не менее прошу вас... *(Принуждает его надеть шляпу.)*

Озрик

Нет, оставьте, уверяю вас. Мне так лучше, уверяю вас. Сэр, на днях к здешнему двору прибыл Лаэрт, настоящий джентльмен, полный самых законченных достоинств, обаятельный в обращении и прекрасной наружности. Не шутя, если говорить картинно, это справочник и указатель благородства, ибо в нем заключено все, что может нравиться светскому человеку.

Гамлет

Сэр, он ничего не потерял в вашем изображении. Хотя, думаю я, описанье его по частям затруднило бы память, заставив ее едва тащиться за его достоинствами, однако скажу с искренностью прославителя, я считаю его существом высшей породы и таким редким, что, по совести, с ним сравнимо только его собственное отраженье, а его подражатели — его жалкие тени, не больше.

Озрик

Ваше высочество говорите о нем очень верно.

Гамлет

Куда вы гнете, сэр? Зачем оскверняем мы этого джентльмена своим грубым дыханьем.

Озрик

Сэр?

Горацио

Что у вас в мыслях? Нельзя ли сказать это попрямее? Право, постарайтесь, милостивый государь.

Гамлет

К чему приплели вы этого джентльмена?

Озрик

Лаэрта?

Горацио
(вполголоса Гамлету)

Запас его красноречья иссяк. Все золотые слова истрачены.

Гамлет

Да, Лаэрта, сэр.

Озрик

Я знаю, от вас не скрыто...

Гамлет

Я хотел бы, чтобы это не было скрыто от вас. Хотя и в таком случае я б ничего не выиграл. Итак, сэр?

Озрик

Я знаю, от вас не скрыто совершенство, с каким Лаэрт...

Гамлет

Не смею судить, чтобы не быть вынужденным с ним мериться. Знать хорошо другого, значит, знать самого себя.

Озрик

Речь, сударь, о совершенстве, с каким он владеет оружием. По общему убеждению, ему в этом нет равных.

Гамлет

Какое у него оружие?

Озрик

Рапира и кинжал.

Гамлет

Оружие двойное. Что же дальше?

Озрик

Король, сэр, держит с ним пари на шесть арабских коней, против которых тот, как я слышал, прозакладывал шесть французских рапир и кинжалов, с их принадлежностями, как-то: кушаками, портупеями и так далее. Три пары гужей, действительно, сказочной красоты и очень подходят к рукоятям. Чрезвычайно изящные гужи, с остроумными украшениями.

Гамлет

Что вы называете гужами?

Горацио
(вполголоса Гамлету)

Я предчувствовал, что дело не обойдется без пояснений.

Озрик

Гужи, сэр, — это ремешки к портупеям.

Гамлет

Выраженье было бы более подходящим, если бы вместо шпаг мы носили пушки. До тех пор пусть это будут портупеи. Но не будем отвлекаться. Итак, шесть арабских коней против шести французских шпаг, их принадлежностей и трех пар гужей с остроумными украшеньями. За что же все это прозакладовано, как вы сказали?

Озрик

Король, сэр, утверждает, что из двенадцати схваток его перевес над вами не превысит трех ударов. Он ставит на девять из двенадцати. Это можно было бы немедленно проверить, если бы ваше высочество соблаговолили ответить.

Гамлет

А если я отвечу: нет?

Озрик

Я хотел сказать, милорд: если вы ответите принятьем вызова на состязанье.

Гамлет

Сэр, я буду прогуливаться по залу. Если его величеству угодно, сейчас время моего отдыха. Пусть принесут рапиры. Если молодой человек согласен и король останется при своем намеренье, я постараюсь, если смогу, выиграть его пари. Если же нет, мне достанутся только стыд и неотбитые удары противника.

Озрик

Можно ли именно так передать ваши слова?

Гамлет

Именно так, сэр, с прикрасами, какие вам заблагорассудится прибавить.

Озрик

Поручаю себя в своей преданности вашему высочеству.

Гамлет

Честь имею, честь имею...

Озрик уходит.

Хорошо делает, что поручает. Никто другой за него бы не поручился.

Горацио

Побежал, нововылупленный, со скорлупой на головке.

Гамлет

Он, верно, и материнской груди не брал иначе как с комплиментами. Таковы все они, нынешние кривляки. Они подхватили общий тон и преобладающую внешность, род бродильного начала, которое выносит их на поверхность среди невообразимого водоворота вкусов. А подуть на поверку, пузырей как не бывало.

Входит лорд.

Лорд

Милорд, его величество государь посылал к вам с приветом молодого Озрика, который сообщил, что вы ждете его в зале. Государь послал узнать, остаетесь ли вы при желании состязаться с Лаэртом или думаете отложить.

Гамлет

Я верен своим решеньям. Они приноровлены к желаньям короля. Была бы его воля, а я в долгу не останусь. Сейчас или когда угодно, лишь бы я чувствовал себя так же хорошо, как теперь.

Лорд

Тогда король, королева и остальные сейчас пожалуют вниз.

Гамлет

В добрый час.

Лорд

Королева желала бы, чтобы перед состязаньем вы по-хорошему поговорили с Лаэртом.

Гамлет

Она учит меня добру.

Лорд уходит.

Горацио

Вы проиграете заклад, милорд.

Гамлет

Не думаю. С тех пор как он уехал во Францию, я постоянно упражнялся. А тут еще льгота в мою пользу. Я выиграю. Но не поверишь, как нехорошо на душе у меня. Впрочем, пустое.

Горацио

Нет, как же, добрейший принц!

Гамлет

Совершенные глупости. И, вместе с тем, род предчувствия, которое остановило бы женщину.

Горацио

Если у вас душа не на месте, слушайтесь ее. Я пойду к ним навстречу и предупрежу, что вам не по себе.

Гамлет

Ни в коем случае. Надо быть выше суеверий. Без Божьей воли не пропасть и воробью. Если судьба этому сейчас, значит не потом. Если не потом, значит — сейчас. Если же этому сейчас не бывать, то все равно оно неминуемо. Быть наготове, в этом все дело. Раз никому не известно, с чем когда-нибудь придется расставаться, отчего не расстаться с этим заблаговременно? Будь что будет.

Входят король, королева, Лаэрт, Озрик, свита, слуги с рапирами и пр.

Король

Стой, Гамлет. Дай соединю вам руки.

(Вкладывает руку Лаэрта в Гамлетову.)

Гамлет

Прошу прощенья, сэр. Я был неправ.
Но вы, как дворянин, меня простите.
Собравшиеся знают, да и вам
Могли сказать, в каком подчас затменье
Бывает ум мой. Все, чем мог задеть
Я ваши чувства, честь и положенье,
Прошу поверить, сделала болезнь.
Ответственен ли Гамлет? Неответствен.
Раз Гамлет невменяем и нанес
Лаэрту оскорбленье, оскорбленье
Нанес не Гамлет, а совсем другой.
Кто ж этому виной? Его безумье.
А если так, то Гамлет сам истец,
И Гамлетов недуг — его обидчик.

Прошу во всеуслышанье при всех
Сложить с меня упрек в предумышленье.
Пусть знают все: я не желал вам зла.
Ошибкой я пустил стрелу над домом
И ранил брата.

Лаэрт

В глубине души,
Где ненависти, собственно, и место,
Прощаю вас. Иное дело честь:
Тут свой закон, и я прощать не вправе,
Пока подобных споров знатоки
Меня мириться не уполномочат.
Во всяком случае, до той поры
Ценю предложенную вами дружбу
И дружбой отплачу.

Гамлет

Душевно рад,
И с легким сердцем принимаю вызов.
Приступим. — Где рапиры?

Лаэрт

Мне одну.

Гамлет

Для вас я очень выгодный соперник.
Со мною рядом ваше мастерство
Тем явственней заблещет.

Лаэрт

Вы смеетесь.

Гамлет

На отсеченье руку дам, что нет.

Король

Раздайте им рапиры, Озрик. — Гамлет,
Известны вам условья?

Гамлет

Да, милорд.
Вы ставите на слабость против силы.

Король

Неправда. Я обоих вас видал.
Он вышколен, но в вашу пользу льгота.

Лаэрт

Другую. Эта слишком тяжела.

Гамлет

Мне эта по руке. — Равны ли обе?

Озрик

Да, милый принц.

Они готовятся к бою.

Король

Вина сюда на стол. —
При первом и втором его ударе
И отраженье третьего — палить
В честь Гамлета со всех бойниц из пушек.
Король его здоровье будет пить.
Сейчас в бокал жемчужину он бросит
Ценнее той, которою в венце

Четыре датских короля гордились.
Подайте кубки мне. Пусть гром литавр
Разносит трубам, трубы канонирам,
Орудья — небу, небеса — земле
Тост короля за Гамлета. — Начнемте.
Вниманье, судьи. Просим не зевать.

Гамлет

Готовьтесь.

Лаэрт

Бьюсь.

Бьются.

Гамлет

Удар.

Лаэрт

Отбито.

Гамлет

Судьи!

Озрик

Удар, удар всерьез.

Лаэрт

Возобновим.

Король

Стой, выпьем. — За твое здоровье, Гамлет.
Жемчужина твоя. — Вот твой бокал.

Трубы и пушечные выстрелы за сценой.

Гамлет

Не время пить. — Начнемте. Защищайтесь.

Бьются.

Опять удар. Не правда ли?

Лаэрт

Удар.

Не отрицаю.

Король

Сын наш побеждает.

Королева

Он дышит тяжело от полноты.
На, Гамлет, мой платок. Какой ты потный.
Я, королева, пью за твой успех.

Гамлет

О, матушка...

Король

Не пей вина, Гертруда!

Королева

Я пить хочу. Прошу, позвольте мне.

Король
(в сторону)

В бокале яд! Ей больше нет спасенья!

Гамлет

Нет, матушка, мне рано с вами пить.

Королева

Дай оботру лицо тебе от пота.

Лаэрт

А ну теперь ударю я.

Король

Едва ль.

Лаэрт
(в сторону)

Как совести все это ни противно.

Гамлет

На этот раз, Лаэрт, без баловства.
Я попрошу вас нападать, как надо.
Боюсь, вы лишь играли до сих пор.

Лаэрт

Вы думаете? Ладно.

Бьются.

Озрик

Оба мимо.

Лаэрт

Так вот же вам!

Лаэрт ранит Гамлета. Затем, в схватке, они меняются
рапирами, и Гамлет ранит Лаэрта.

Король

Разнять их. Так нельзя.

Гамлет

Нет, сызнова.

Королева падает.

Озрик

На помощь к королеве!

Горацио

Они в крови. — Откуда кровь, милорд?

Озрик

Откуда кровь, Лаэрт?

Лаэрт

              Кулик попался.
Я ловко сети, Озрик, расставлял
И угодил в них за свое коварство.

Гамлет

Что с королевой?

Король

            Обморок простой
При виде крови.

Королева

            Нет, неправда, Гамлет, —
Питье, питье! — Отравлена! — Питье!

(Умирает.)

Гамлет

Средь нас измена! — Затворите двери!
Найти концы!

Лаэрт

Они в твоих руках.
Ты умерщвлен. Спасти тебя нет средства.
Всей жизни у тебя на полчаса.
Улики пред тобой. Рапира эта
Отравлена и с голым острием.
Я гибну сам за подлость и не встану.
Нет королевы. Больше не могу...
Всему король, король всему виновник!

Гамлет

Как, и рапира с ядом? Так ступай,
Отравленная сталь, по назначенью!

(Закалывает короля.)

Все

Предательство!

Король

На выручку, друзья!
Еще спасенье есть. Я только ранен!

Гамлет

Так на же, самозванец-душегуб!
Глотай свою жемчужину в растворе!
Марш к матери моей!

Король умирает.

Лаэрт

И — поделом:
Напиток был его изготовленья.
Ну, честный Гамлет, а теперь давай

Прощу тебе я кровь свою с отцовой,
Ты ж мне — свою!

(Умирает.)

Гамлет

Прости тебя Господь.
Я тоже вслед. Все кончено, Гораций.
Простимся, королева! Бог с тобой!
А вы, немые зрители финала,
О, если б только время я имел, —
Но смерть — тупой конвойный и не терпит
Отлыниванья, — я б вам рассказал —
Но пусть и так. Все кончено, Гораций.
Ты жив. Расскажешь правду обо мне
Непосвященным.

Горацио

Этого не будет.
Я не датчанин — римлянин скорей.
Здесь яд остался.

Гамлет

Если ты мужчина,
Дай кубок мне. Отдай его. — Каким
Бесславием покроюсь я в потомстве,
Пока не знает истины никто!
Будь другом мне и поступись блаженством.
Дыши тяжелым воздухом земли.
Останься в этом мире и поведай
Про жизнь мою.

Марш вдали и выстрелы за сценой.

Что за пальба вдали?

Озрик

Послам английским, проходя с победой
Из Польши, салютует Фортинбрас.

Гамлет

Гораций, я кончаюсь. Сила яда
Глушит меня. Уже меня в живых
Из Англии известья не застанут.
Предсказываю: выбор их падет
На Фортинбраса. За него мой голос.
Скажи ему, как все произошло
И кончилось. Дальнейшее — молчанье.

(Умирает.)

Горацио

Разбилось сердце редкостное. — Спи,
В полете хором ангелов качаем. —
Кто это с барабанами сюда?

Марш за сценой.
Входят Фортинбрас и английские послы
с барабанным боем, знаменами и свитой.

Фортинбрас

Где место происшествия?

Горацио

Какого?
Печали небывалой? Это здесь.

Фортинбрас

Стон истребленья жив еще в останках.
В чертогах смерти, видно, пир горой,

Что столько свежих королевских трупов
Нагромоздила.

Первый посол

                Просто страх берет.
Английские известья опоздали.
Закрылся слух того, кто был бы рад
Услышать, что приказ его исполнен
И Розенкранца с Гильденстерном нет.
Кто нам спасибо скажет?

Горацио

                        Он — едва ли.
Его б он и при жизни не сказал.
Он никогда не требовал их смерти.
Но раз уж вы сошлись здесь на крови
Дорогами из Англии и Польши,
То прикажите положить тела
Пред всеми на виду, и с возвышенья
Я всенародно расскажу про все
Случившееся. Расскажу о страшных,
Кровавых и безжалостных делах,
Превратностях, убийствах по ошибке,
Наказанном двуличье, и к концу —
О кознях пред развязкой, погубивших
Виновников. Вот что я расскажу
Вам полностью.

Фортинбрас

                Скорей давайте слушать.
И созовем для этого совет.
Не в добрый час мне выпадает счастье.

На этот край есть право у меня.
Я предъявлю его.

Горацио

Я и об этом
Имею слово от лица того,
Чей голос есть судьба голосованья.
Но поспешим, пока умы в чаду
Не натворили новых беззаконий.

Фортинбрас

Пусть Гамлета к помосту отнесут,
Как воина, четыре капитана.
Будь он в живых, он стал бы королем
Заслуженно. При переносе тела
Пусть музыка звучит по всем статьям
Церемоньяла. Уберите трупы.
Средь поля битвы мыслимы они,
А здесь не к месту, как следы резни.
Команду к канонаде.

Похоронный марш.
Уходят, унося трупы, после чего раздается пушечный
залп.

ПРИМЕЧАНИЯ

Трагедия написана около 1601 года. Первое издание 1603 года было пиратским. Аутентичный текст вышел в следующем (1604) году. С небольшими изменениями он повторен в собрании 1623 года.

История об Амелете, принце датском, впервые встречается у летописца Саксона Грамматика (1200). Благодаря французскому пересказу (1576) сюжет стал известен в Англии, где неизвестный автор (полагают, что им был Томас Кид) около 1589 года написал трагедию. Шекспир, несомненно, знал ее, но, так как текст ее не сохранился, трудно сказать, в какой мере он воспользовался ею. Судя по тому, как кардинально переработал он раннюю пьесу о юности Генриха V, послужившую основой для «Генриха IV», а также по другим подобным случаям, Шекспир использовал только схему действия, наполнив ее своим глубоким социальным и философским содержанием.

В первопечатных изданиях деление на акты и сцены произведено не полностью. Оно завершено последующими редакторами.

Очень вольная переработка «Гамлета» впервые появилась в России в 1748 году. Ее автором был А. П. Сумароков. Первые литературные переводы: М. Вронченко (1828) и Н. Полевого (1837). Наиболее значительные переводы: А. Кронеберга (1840, неоднократно переиздавался, см. изд.

Брокгауз-Ефрон, 1903, т. III), К.Р. (1899), А.Радловой (1939), М.Лозинского (1933, много переизданий, см. Шекспир, изд. «Искусство», т. 6, 1960).

Публикуемый здесь перевод имеет свою творческую историю. Опубликованный впервые в 1940 году в журнале «Молодая гвардия» (№ 5—6), он был затем полностью напечатан отдельной книжкой (М., Гослитиздат, 1941) и впоследствии неоднократно переиздавался с незначительными сокращениями (Детгиз, 1942; «Искусство», 1951, и др.). При переизданиях поэт вносил разного рода поправки, иногда весьма существенные. Последнее прижизненное издание перевода вошло в однотомник «Избранные произведения Шекспира» (М., Гослитиздат, 1953). В распоряжении редакции был экземпляр этого издания, содержащий рукописную правку Б.Пастернака. При подготовке настоящего издания был принят полный текст перевода с учетом этой последней правки. Поэтому публикуемый здесь перевод содержит ряд разночтений, отличающих его от предыдущих изданий. Подготовка текста была произведена А.А.Аникстом и Е.Б.Пастернаком.

С. 7. *Эльсинор* — город в Дании, расположенный на берегу пролива, отделяющего Данию от Скандинавского полуострова.

Площадка перед замком — то есть специально устроенная эспланада, открытое и ровное пространство вокруг замка. Атакующая неприятельская пехота, пересекая это пространство, подвергала себя особой опасности.

С. 11. *Он ждет вопроса.* — Согласно древнему поверью, призраки не могли заговорить первыми.

С. 17. *Наследницу военных рубежей...* — Клавдий хитро оправдывает захват престола, как бы мимоходом называя свою жену Гертруду наследницей и не упоминая о Гамлете.

С. 45. *...как Лазарю...* — Лазарями — именем, заимствованным из евангельской легенды, — в эпоху Шекспира назывались больные проказой.

С. 50. *Вот меч, — клянитесь.* — Клятва на мече, восходящая к древнейшим временам, считалась особенно священной.

С. 51. *Hic et ubique? —* «здесь и повсюду» *(лат.).* Согласно поверью, духи могли одновременно появляться во многих местах.

С. 69. *Не пускайте ее на солнце.* — Возможно, это значит: не пускайте Офелию к королевскому двору. Сравнение монарха с солнцем было широко принято.

С. 72. *Мы не верхи на колпаке Фортуны* — то есть не баловни судьбы.

С. 77. *Последние нововведенья.* — Темное место, которое осталось нерасшифрованным. Возможно, здесь скрыт намек на то, что той труппе, к которой принадлежал Шекспир, было на время запрещено давать спектакли в Лондоне и актерам пришлось отправиться в турне по провинции. Такие запрещения были частым явлением.

С. 78. *...целый выводок детворы...* — Конкурентами взрослых актеров были в эпоху Шекспира труппы, состоявшие из мальчиков-подростков, славившихся умением петь и танцевать.

С. 79. *И Геркулеса с его ношей* — то есть труппу театра «Глобус», к которой принадлежал Шекспир. На вывеске театра «Глобус» был изображен Геркулес, держащий на плечах земной шар.

С. 80. *Росций* — знаменитый римский актер I века до н. э.

С. 81. *Важность Сенеки, легкость Плавта...* — Сенека — римский автор трагедий (умер в 65 году н. э.); Плавт — римский автор комедий (умер в 184 году до н. э.). Сенеке и Плавту подражала английская «школьная драма» XVI века.

О Евфай, судья Израиля... — Согласно библейскому преданию, Евфай принес в жертву свою единственную дочь. Так и Полоний (намекает Гамлет) жертвует Офелией, используя ее в борьбе против Гамлета.

С. 82. *Вас ли я вижу, барышня моя?* — Гамлет шутливо обращается к мальчику, исполнителю женских ролей. В английском театре эпохи Шекспира женские роли исполнялись мальчиками-подростками и юношами.

С. 83. *...Эней рассказывает о себе Дидоне...* — После взятия Трои греками один из троянских героев, Эней, долго странствовал. Во время своих странствий Эней был выброшен бурей на карфагенский берег и нашел приют у царицы Карфагена Дидоны, страстно его полюбившей. В монологе, который читает первый актер, Эней рассказывает Дидоне о гибели Трои.

Пирр — сын греческого героя Ахилла. Пирр мстил троянцам за смерть отца. Эта тема мести за отца напоминает Гамлету его собственную судьбу (вероятно, поэтому Гамлет и вспомнил об этом монологе).

...как зверь Гирканский... — то есть тигр. Гирканией в Англии эпохи Шекспира называли страны, расположенные на восток от Каспийского моря.

С. 85. *Гекуба* — жена Приама, царя Трои.

С. 98. *Для сбора недовыплаченной дани.* — В VIII—XI веках н. э. датчане и скандинавы предпринимали опустошительные нападения на Англию. Одно время (XI в.) вся Англия подчинялась датскому королю и платила ему налоги («датские деньги»).

С. 100. *...переиродить Ирода.* — Царь Ирод был излюбленным персонажем средневековых религиозных драм (мистерий). Он отличался неистовой свирепостью и произносил «громовые» речи. Гамлет говорит об этом персонаже как о воплощении ходульной декламации.

С. 103. *По-хамелеонски.* — Согласно поверью той эпохи, хамелеон питается воздухом.

С. 112. *Вы хорошо заменяете хор, милорд.* — Роль «хора», читавшего пролог или пояснявшего то, что происходит на сцене, исполнялась в театре времен Шекспира одним лицом.

С. 113. *«Взывает к мести каркающий ворон».* — Это цитата из пьесы неизвестного автора «Истинная трагедия о Ричарде III», в которой в мрачных красках изображен преступный король на троне (Гамлет намекает на Клавдия).

С. 113. *Геката* — одно из мрачных божеств древнегреческой мифологии. Ее изображали с тремя головами: лошадиной, песьей и львиной. В средневековых поверьях Геката была царицей ведьм.

С. 114. *...целый лес перьев, да пара провансальских роз на башмаках...* — Пышные перья на голове и большие банты в виде роз на башмаках были частой принадлежностью костюма трагических актеров.

Дамон — герой античной легенды о двух друзьях; в нарицательном смысле — верный друг.

С. 121. *Души Нерона в грудь мне не вселяй.* — Нерон, римский император I века н.э., прославившийся своими жестокостями, был матереубийцей.

С. 133. *Ты смотришь в пустоту...* — Согласно поверью, призраки были видимы только тем, кому они являлись.

С. 141. *...какой-то губки?* — Гамлет сравнивает придворных с губками. В сатирическом сочинении эпохи Шекспира читаем: «Когда короли воспользуются придворными как губками, впитавшими все соки из бедного люда, им доставляет удовольствие выжимать содержимое этих губок в королевские сосуды».

С. 152. *Шлык паломника на нем...* — Образ паломника в поэзии той эпохи — символ влюбленного. Офелия думает то о Гамлете, который, как ей кажется, погиб на чужбине, то о Полонии.

С. 153. *...сова была раньше дочкой пекаря.* — Согласно средневековой легенде, дочка пекаря, отказавшаяся дать Христу хлеба, была превращена в сову.

В Валентинов день... — В день святого Валентина (14 февраля) первая девушка, встретившаяся юноше, становилась его «Валентиной» (нареченной).

С. 155. *Швейцарцы где?* — Наемные швейцарцы часто бывали в ту эпоху телохранителями монархов.

С. 174. *Два могильщика.* — Роль могильщиков исполнялась во времена Шекспира шутами, комиками. Начало разговора могильщиков является пародией на схоластические тонкости и абстрактные определения юриспруденции той эпохи.

С. 177. *Сбегай, брат, к Иогену...* — Так звали хозяина кабачка, находившегося по соседству с театром «Глобус».

С. 182. *...когда родился молодой Гамлет...* — Ниже могильщик говорит, что он работает тридцать лет на кладбище. Следовательно, Гамлету тридцать лет. Но Гамлет — студент, Лаэрт говорит о любви Гамлета к Офелии как о страсти ранней юности. С такого рода противоречиями мы нередко встречаемся у Шекспира.

С. 187. *Град каменьев.* — Тела самоубийц кидали в яму и забрасывали камнями. Это называлось «ослиным погребением». Церковь запрещала молиться о самоубийцах.

С. 189. *...которая превысит Пелион и голубой Олимп.* — Пелион и Олимп — названия гор в Греции. Древние греки считали Олимп самой высокой горой в мире; на вершине Олимпа, по верованиям древних греков, восседали боги.

С. 191. *Осса* — гора в Греции.

С. 210. *Я ловко сети, Озрик, расставлял...* — Из этого обращения Лаэрта к Озрику ясно, что Озрик был посвящен в тайну отравленного оружия.

А. Аникст, М. Морозов

СОДЕРЖАНИЕ

Литературно-художественное издание

УИЛЬЯМ ШЕКСПИР

ГАМЛЕТ, ПРИНЦ ДАТСКИЙ

Ответственная за выпуск Ирина Тарасенко
Художественный редактор Валерий Гореликов
Технический редактор Татьяна Раткевич
Корректоры Ирина Киселева, Ольга Крылова
Верстка Александра Савастени

Подписано в печать 19.04.2009.
Формат издания 84 × 108 $^{1}/_{32}$. Печать офсетная.
Гарнитура «Петербург». Тираж 7 000 экз.
Усл. печ. л. 9,87. Заказ № 15427.

Издательская Группа «Азбука-классика».
191014, Санкт-Петербург, ул. Чехова, д. 9, лит. А, пом. 6Н.
Тел. 327-04-55, 273-12-13. Факс 327-01-60
www.azbooka.ru

Отпечатано по технологии CtP
в ОАО «Печатный двор» им. А. М. Горького
197110, Санкт-Петербург, Чкаловский пр., 15.

KAVS345601R

ПО ВОПРОСАМ ПРИОБРЕТЕНИЯ КНИГ ОБРАЩАЙТЕСЬ:

Издательская Группа «Азбука-классика»

Санкт-Петербург:

ул. Чехова, д. 9, лит. А, пом. 6Н
Почта: 191014, Россия, Санкт-Петербург,
ул. Чехова, д. 9, лит. А, пом. 6Н
Тел.: (812) 324-61-49, 388-94-38
факс: (812) 321-66-60
E-mail: **office@azbooka.spb.ru**

Москва:

119991, 5-й Донской проезд, д. 15, стр. 4
тел./факс (495) 933-76-01
info@azbooka-m.ru

*Информация о новинках и планах,
а также условия сотрудничества
на сайте*

www.azbooka.ru